JN103752

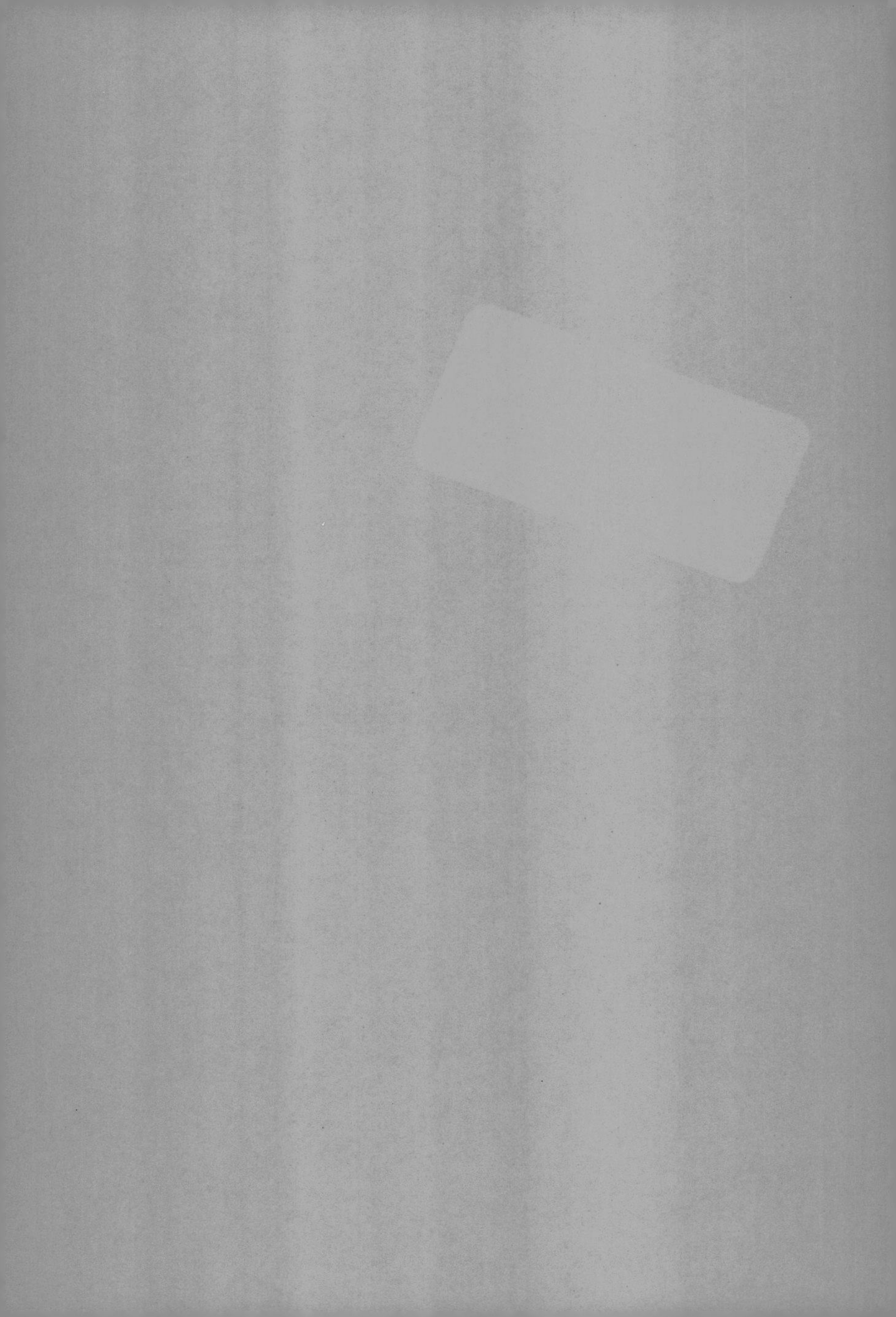

60歳を過ぎたら絶対観たい映画43

画面のどこかに、あなたがいる!

元ワーナー・ブラザース映画製作室長
小川 政弘

産学社

第二章

第三章

第四章

第五章

若さを保つ秘訣は、ときめきを忘れないこと……159

第六章

編集協力　吉川健一　相田英子（有限会社リリーフジャパン）
ブックデザイン　中井正裕

序章

映画の周りに人生が横たわっている

ワーナー・ブラザースで46年半、字幕翻訳に取り組んだ幸せ

世の中に、〝スカウト〟という職業があります。スポーツで優れた才能を持つ選手を探し出して、自分のチームに高額で迎え入れる仕事です。これが頭脳を求める世界になると、その名もずばり〝ヘッドハンティング〟になります。私は、このいずれでもない、〝物書きスカウト〟に引っかかりました。そして実は密(ひそ)かに、それに引っかかることを望んでいたのです。話はこうです。

私は中学生の頃から、外国映画に夢中になりました。80歳を超えた私の中学時代は、1950年代半ばになります。ジェイムズ・ディーンが彗星(すいせい)のように銀幕に現れ、たった3本の映画を残し永遠の彼方に消えていきました。この愛称ジミーの映画を作った映画会社が、シールド（盾）ロゴの映画配給会社ワーナー・ブラザース（以下＝ワーナー、WB）でした。高校を出て1年半、何が何でも映画の仕事がしたくて、東北の片田舎から全ての映画会社にはがき1枚の就職願いを出して、最後に拾ってもらったのがそのワーナーでした。そ

の時私はまだクリスチャンではありませんでしたが、人の運命を支配する大いなる存在を肌で感じました。

それから46年半、私はワーナーに籍を置き、好きな映画を存分に楽しみ、字幕翻訳の技もプロの翻訳者と製作の仕事をしながらしっかりと盗み、身に着けました。入社の翌年にクリスチャンになったので、外国映画には随所に出てくる聖書やキリスト教を、この世界になじみの薄い日本人の観客に字幕の中で正しく分かりやすく伝えるのが、在職時代の私の「ミッション・ポッシブル」(可能な使命)になりました。そのためにもしっかりした聖書の知識を系統的に学ぼうと、神学校の夜間部で4年間学ぶほどの万全策も取りました。

映画による〝人生の疑似体験〟

65歳の定年をさらに1年半延長して、2008年春に退職しましたが、人々に夢を売る映画の世界で存分に働くことができて幸せでした。それだけではありません。この本を上梓(じょうし)するに当たり、今改めて思うことは、その〝幸せ〟の正体です。46年半の映画人生で、私が関わった映画は優に2000本を超えますが、その映画で、世界のいろいろな国と、そこに生きる人間の織り成すさまざまな人生模様を知りました。その映画を観なければ、一生知ることのなかった世界もあります。映画とは、〝人生の疑似体験〟を可能にする、ほとんど唯一のメディアと言っていいでしょう。煎じ詰めると私の半生は、映画と共に世界を知り、映画の中で人間を知り、より良く生きる知恵を学んだ人生だったということになります。

こうして映画を生業としつつ、十分に人生を楽しんで思い残すことなく退社した今、今度は趣味で映画を楽しもうかと思ったら、どっこいそうはいきませんでした。退職してからも、神はそのミッションを全うさせようとお考えになったらしく、さる字幕翻訳者養成学校で、聖書講座を持つようになりました。また、新聞や雑誌に映画と聖書のテーマでいろいろな記事を連載するようにもなりました。それに加え、フェイスブック（ＦＢ）というソーシャルメディアにも興味を持ち、その自分のページで毎日、欧米のキリスト教関連のいい言葉を見つけ出しては英語を日本語に訳し、かつ聖書的観点から解説をつけ、人生論のようなものの掲載を始めたのです。

そのＦＢで、「聖書で読み解く映画カフェ」というグループを作るやら、同じ映画伝道を志す仲間と共に、「クリスチャン映画の教会・クリスチャン向け宣伝を請け負うやらで、気がつけば現役時代よりもどっぷりと映画の世界にはまり込んでいる自分がいました。

そんな私にはワーナー在職時代から、一つの夢がありました。約半世紀にわたる私の映画人生を、本にして残すという夢です。それは退社10年後に、『字幕に愛を込めて（私の映画人生 半世紀）』（イーグレープ・刊）で実現しました。その2年後、たまたま字幕翻訳学校の受講生がキリスト教系出版社で働いていたご縁で、私がお手製で作った聖書と映画のテキストに興味を持った彼女の力添えもあり、その出版社から2冊目の本が出ました。『字幕翻訳虎の巻 聖書を知ると英語も映画も10倍楽しい』（いのちのことば社・刊）です。欲張りな私は、それでもまだ密かに3冊目を狙っていました。私のFBページが、前述の〝物書きスカウト〟の目に留まり、綴られたキリスト教的映画論や人生論に興味を持ってくれたこともあり、それを本にしてくれないかという図々しい願いです。なんと、その願いが叶ってしまいました。それが本書です。二度あることは三度あったのです！ 神のなさることは、いつもすごいの一語に尽きます。

人生を支えてくれたキリスト教への信仰

読者の皆さまの中には、「映画の本は何冊か読んだことがあるが、どうもこの本は出だしからしてちょっと毛色が違う。何か、人生論と映画論を足して2で割ったような感じだし、そもそも仕事で聖書を伝えるなんて話は聞いたことがない。この著者が映画好きなことは分かったが、どうやってキリスト教信仰を持つようになったのだろう？　どんな人生観を持っているのだろう？」と思われた方が、何人かはいらっしゃるかもしれません。私という人間を多少なりともお知りいただければ、これからの6章43作の中での私のつたない映画評の中身もよりご理解いただけるだろうと思います。そこで私とキリスト教とのつながり、また私の家族についてもちょっと紹介させてください。

私は20歳まで東北の片田舎で育ちましたが、孤独でつらい少年時代を過ごしました。大蔵省専売局（戦後、日本専売公社に。現・日本たばこ産業株式会社＝ＪＴ）の地方出張所長をしていた父は、無類の酒好きで退職後も酒浸りで体を壊し、私が小学5年生の時に53歳で他界しました。母はその後小さな駄菓子屋で、私と姉、弟の３人の子どもを養ってくれましたが、私は小学生の頃から、自転車で駄菓子などの仕入れを手伝い、小さな店で寝泊まりしていた母の代わりに、７つ下の幼い弟の面倒を見て、夜は少し離れた家に二人だけで寝泊まりする日々でした。高校2年生の時、東京に出ていた姉が帰ってきて、その援助で大学に進もうかと思っていた矢先、姉は山で遭難し亡くなりました。

私は無性に家族の愛に飢え、愛情を求めて渇きながら、一方では人間をこんな厳しい運命でがんじがらめにする〝絶対的な存在〟を密かに恨み、恐れて生きる孤独な若き〝運命論者〟になっていったのです。

１９６１年、私は20歳で上京し、前述のように中学時代から憧れていたワーナー・ブラザーズに入社しました。昼は会社に勤めながら、なおも大学の夢を捨て切れず、深夜ラジオの受験番組を聴いていましたが、ある夜、聴きなれない番組が耳に入ってきたのです。それが、初めて聴いたキリスト教番組「いこいの窓」でした。

何か心を惹かれながら続けて聴いているうちに、私が密かに思い描いていたその絶対的存在は、聖書にある〝全知全能の神〟であること。そしてその方は、罪は決して見過ごさない厳しい〝義の神〟であるだけでなく、その罪を赦すために、独り子イエス・キリストさえ与えられた〝愛の神〟であることを知りました。１９６２年夏のある夜、私は心に迫る見えない神の霊に促されるまま、イエス・キリストを救い主、主として信じました。ほどなくしてバプテスマ（洗礼）を受けてクリスチャンになり、喜びのうちに長い間の孤独と運命論から解放されたのです。

その放送団体から紹介されたプロテスタント教会で、私のクリスチャン生活が始まりました。１９７０年には信仰を同じくする同年齢の女性、佳子と結婚。彼女は十代の頃に結核を発病し、両肺を手術して死線をさまよい、その病床で十字架のキリストの幻を見て入信しました。二人に子どもは与えられませんでしたが、つらかった青春時代をせめて取り戻してあげようと、49年間の結婚生活で二十数回の海外旅行に連れて行きました。けれど２０１９年2月、数年前から始まっていた認知症を抱えたまま、肺機能の衰えた身で生きるのを神が不憫に思われたかのように、彼女は一夜で地上を離れ、天に帰ったのです（拙著『弱き器と共に生きて』は彼女への感謝の証しです）。

その間にも私はといえば、なまじ英語力があるばかりに、ＦＢで開発途上国への支援を訴えていた、私の人を疑うことを知らないお人好しぶりが国際詐欺グループの格好の餌食(えじき)になり、4年間で3つの複数グループから全財産を吸い取られ、なんと1800万円近い借金まで背負う羽目に陥ったのです。

そんな愚かな私に、神は想像を超えた助けの手を差し伸べてくれました。FBで私の窮状を知ったあるクリスチャン女性が特別に心にかけ、祈りの中で神の促しもあり、21歳の年齢差を超えて私と結婚してくれました。こうして私は自宅敷地を処分して借金を返し、600キロ遠方から飛んできてくれた彼女みどりと、思いもかけず第二の人生をスタートする身となったのです。神のみわざには、ただただ驚くばかりです。

過去に学び、これからの指針になる名作映画

今、改めて映画と共に過ごした約半世紀を振り返ってみて私は、人生には「映画を観るにもふさわしい〝時〟がある」と思うのです(旧約聖書　伝道者の書3章参照)。

平均寿命が伸びて人生80年、90年が当たり前になった昨今、「60歳」という年齢は、それ

からさらに少なくとも20年、第二の人生を楽しめる出発点に立ったということです。この人生をどのように生き、エンジョイするか。私は自信を持ってこうお勧めします。いくつかの選択肢の中で、まずは「映画をご覧なさい！」と——。

映画とは面白いもので、観なければ別に何カ月観なくても平気なのに、いったん観始めると次から次に観たくなるという不思議な吸引力を持っています。そして私は、この60歳という年齢こそ、これまでそれほど映画を観なかった人も、「次から次に観始める」時だと思うのです。特に思い出に残るような、懐かしの名作をたっぷり観ることです。ところどころに最近の佳作も交えて……。

人間60歳を過ぎると自分ですること、できることは減ってきます。その代わり、それまでしゃにむに働いてきてやりたくてもできなかったこと、知る機会を逸したことを、映画を通して存分に吸収したいものです。組織や社会のしがらみに縛られない自由な生き方を模索する。知らずじまいだった国々や街々と文化の追体験をする。世界のさまざまな「家族」のかたちを知る。そして、自分自身のより良き老後と最期に備える。何よりも、人間の愛のすばらしさと、そこに満ちている奇跡の数々に感動しましょう。その心の温かさで、あなたの青春をよみがえらせるのです。この43本選りすぐりの名画を、これからのより成熟した人生のための活力剤にされることを願っています。

※映画タイトルに併記してある年代は日本の公開年で、製作年や製作国における公開年とは違う場合があります。
※本文中には、随所に【字幕】が出てきますが、取り上げた映画を印象深くするためのもので、筆者の記憶や筆者訳によるものです。
※本文の文体は「です・ます」調で統一しましたが、それぞれの映画のストーリー（あらすじ）は読みやすくするため、「である」調にしてあります。
※作品によってはネタバレの解説になっている場合があります。
※人名・地名は原音表記によりましたので、一般に知られている表記とは違う場合があります。

聖書豆知識

聖書は世界の超ベストセラー本

絵画、音楽などの欧米文化同様、19世紀から花開いた“映像”文化である映画の中にも、キリスト教・聖書は大きな影響を及ぼしています。そこで「聖書」について、簡単に紹介しておきましょう。

◆聖書とは

キリスト教で最も大切な経典です。もちろん人間が書いた書物ですが、背後で、目に見えない三位一体の神（父なる神、子なる神イエス・キリスト、聖霊なる神）の一位格である聖霊が、内容に決して間違いがないように監修された本です。

◆聖書の内容

旧約聖書（39巻）、新約聖書（29巻）計66巻の書物から成り立っています。（カトリックでは、さらに数巻の「外典」を加えます。）旧約は救い主（イエス・キリスト）が来られるという約束、新約はその成就の書です。

旧約聖書はヘブル語で書かれ、律法、歴史、文学、預言書から成り、新約聖書はギリシャ語で書かれ、マタイ、マルコ、ルカ、ヨハネの四福音書、使徒の働き（使徒言行録）、手紙、黙示録から成り立っています。

◆聖書の書かれた年代

旧約聖書はBC（紀元前）15世紀からBC5世紀の1000年間、新約聖書はAD（紀元）の初めから200年間、合わせて約1200年間です。

◆聖書の著者

旧約聖書の最初「創世記」のモーセから、新約聖書の最後「ヨハネの黙示録」のヨハネまで、約40人によって書かれました。

◆聖書の翻訳

聖書の原典は失われ、最も古い写本から各国語に翻訳されています。日本では『聖書協会共同訳』、『新改訳2017』で、本書では後者を引用しています。

第一章

家族がいなければ、今のあなたはいない

家族のさまざまなかたちに思いを馳せる

60代は自分の両親、伴侶、子どもとの関係が大きく変化する時期です。多くの方は親の老後や施設のことを考え出すようになり、長く連れ添った伴侶とも波風が立ち始め、子どもたちはいつの間にか結婚相手を見つけ、親のもとを去って行ったりもします。今、目の前に立ちはだかる人生の諸問題には、いやおうなしに立ち向かわなければなりませんが、ここはひとつ映画を観ながら、さまざまな家族の姿に触れ、家族とは何なのかを考え、家族の大切さに思いを馳せてみませんか？　それが、あなたのこれからの人生の力になると思うのです。

第一章で取り上げる映画は9本です。大家族や小家族、いろいろな家族がいます。文句なしの大家族は、ご存じ「ゴッドファーザー」3部作でしょう。祖父、父、甥の三代にわたり、時代の長さやファミリーツリーの広がりにおいても、他の映画の比ではありません。このように世代がまたがる映画を観ると、お子さんやお孫さんのある方は自分一代で終わらせていいもの、のちの代まで継承するべきものは何かについて、考えさせられるのではないでしょうか。その場合、親の権威を笠に着た上からの押し付けは、とうの昔に通用しません。どのようにして伝えるべきか、受け継いでもらえるか、知恵が必要ですね。

父子の愛情と確執を扱ったものとして、「エデンの東」、「ライフ・イズ・ビューティフル」、SFの「コンタクト」があります。「エデン」も「ライフ」も、父親の子どもへの愛が、父親の死によって明らかにされるところが心に響きます。家族の関係は一番濃いものでありながら、ひとたびこじれると一番厄介です。でも、和解のチャンスは最後の最後まで残されていることを覚えておきたいものです。

「コンタクト」は、主人公が小さい頃の父親の影響力を伝えますが、地球外星人がその父になって現れると、何やら近未来の宇宙大に広がった家族像を見るようで興味津々です。母子の愛情をおいしい料理やケーキ付で楽しく描いたのが「幸せのレシピ」と「ノッティングヒルの洋菓子店」。家族とは必ずしも血のつながりによらないことも教えてくれます。

夫婦愛を戦前の日本人が持っていた〝夫唱婦随〟の感性で描いたのが「スタア誕生」、珍しくも兄弟愛をしっくりと描いたのが「レインマン」、まるで兄弟のような友情を描いたのが「スケアクロウ」。それぞれに味のある9作、どうぞお楽しみください。

このレシピはどこにもない。自分で作るんです

幸せのレシピ

（2007年・104分・アメリカ）

スコット・ヒックス監督によるドイツ映画「マーサの幸せレシピ」のリメイク作品です。

ストーリー

ニューヨークの人気高級レストランで、超一流の腕前と妥協のない仕事ぶりで知られる女料理長のケイト（キャサリン・ゼタ＝ジョーンズ）はある日、たった一人の肉親だった姉を交通事故で亡くし、遺された9歳の姪（めい）ゾーイ（アビゲイル・ブレスリン）を引き取り一緒に暮らすことになった。子どもとの接し方が分からず戸惑うケイトと、突然最愛の母を亡くしたゾーイの新生活は問題山積。そこに、陽気なシェフ、ニック（アーロン・エッカート）が副料理長として新たに加わり、彼女の聖域を自由奔放に侵し始め、ケイトのいらだちは募るばかり――。

こうして映画は、この3人の間の確執と、いつか芽生える友情、愛情、誤解、別れ、そして楽しいエンディングまで、超豪華な料理とニックの好きな有名オペラの数々のサービス付きで、ファミリー映画の楽しさを満喫させてくれます。ポイントを挙げてみましょう。

●「生きることの意味」について考えさせてくれます。

人生は、死と隣り合わせ。明日も生きている保証はどこにもない。生きていることは当たり前ではないのです。いえ、ひょっとして目に見えない大いなる存在に守られて、人は〝生かされている〟のかもしれません。

人は時として、それまでの環境と全く違うところに放り出される時があります。気楽な独身生活と一流レストランの主任シェフ業から、ある日突然、〝母親〟役を押し付けられるケイト。愛する母を突然失い、叔母のケイトを母として暮らすことになってしまうゾーイ。思ってもみなかった人生の大変化に正しく対処していくには、自分はなんのために、誰のために生きるのかという《人生の根本レシピ》(対処法、秘訣)が問われるのです。

●「人間」について考えさせてくれます。

やりがいのある仕事を持つことの幸せと、落とし穴について。

男女を問わず、自分のタラント（才能）を生かして思う存分働けるのは感謝すべきことですが、それは得てして他者の介入を許さない独善主義、排他主義、そして人の間違いを許さない完璧主義に陥ります。ケイトがそうで、彼女は実は孤独でした。同じ料理の腕を持ちながら、彼女と正反対に自由な心を持つニックは、彼女にこんな忠告をします。

【字幕】ニック「時には心を開けよ。楽になる」

離婚家庭が増えていますが、揺れ動く子どもの心を理解するのは簡単ではありません。第二の母ケイトを好きになるにつれ、亡き母への愛が薄れていく恐れから姿を消し、亡き母の墓を訪れるゾーイと、ニックの助けで彼女を探しやっと見つけたケイトの会話。

【字幕】ゾーイ「ママを忘れそう」
ケイト「忘れないわ。約束する。（ここへ）来たくなったら言って」

ケイトは、反抗期のゾーイと共に暮らしているうちに彼女の寂しさ、亡き母を忘れてしまうことへの恐れを優しく思いやれるほど、〝母〟として成長していました。

私たちは、誰かを再び愛することになっても、かつて愛した亡き人を忘れる必要はありません。『氷点』でデビューしたクリスチャン作家・三浦綾子さんの夫だった光世さんは、最期まで妻の初恋の人、前川 正さんの写真を身に着けていました。彼女と結婚した時、「イエス様に導いてくれた人を君は忘れる必要はない。僕は前川さんの分も君を愛するよ」と言った誓いを守って――。

●「人生の幸せのレシピ」について考えさせてくれます。

そんなレシピはどこにもなく、自分で作らなければなりません。

【字幕】ケイト「人生にもレシピがあればいい。失敗せずに済むのに」
セラピスト「自分が作ったレシピが一番だよ」

それはまた、自分の幸せのためのレシピではなく、誰かを幸せにするためのレシピです。料理とは本来そういうものですね。それは究極、〝他者のために生きる〟ということです。その秘訣が書かれているのが聖書。「聖書」は人生最高の「幸せのレシピ」だと、私は信じています。

科学者は宇宙に出て神を見る

コンタクト

（1997年・153分・アメリカ）

ロバート・ゼメキス監督が宇宙科学者カール・セイガンの原作を基に、同じ〝SF〟でも初めてサイエンスファクトに取り組んだヒューマンドラマです。

あなたは、地球外知的生命体がいると思われますか？　「いる」という仮定のもとに、あまたのSF映画が作られました。そのほとんどに地球を攻撃してくる悪役が登場しますが、この映画の知的生命体のヴェガ星人は友好的です。なんたって、エリー（ジョディー・フォスター）が不安なく会えるように、エリーの愛してやまなかった父テッド（デイヴィッド・モース）に扮して姿を現すのですから。それにしても夜空を見上げれば、確かに宇宙は広大であることを実感します。その夜空を見渡して、この広い宇宙で知的生命体がいるのは地球だけなどということがあるのかな、と考えたことありませんか？　エリーはそう考えたのです。その考えは、父テッドから植え付けられたものでした。彼は幼いエリーにこう言います。

【字幕】テッド「もし知的生命が地球だけだとしたら、広い宇宙がもったいないよ」

このセリフ、まさしくですよね？　この言葉で、エリーは天文学者を目指します。地球外にも知的生命体は絶対にいると信じ、いつの日かこの生命体とコンタクト（接触）するために――。ところが、やがて願い通りに天文学者になったエリーの前に現れた政府の宗教顧問パーマー・ジョス（マシュー・マコノヒー）も、彼女と星空を見ながら、偶然にも全く同じ言葉を言うのです。そのひと言で彼女は彼と恋に陥ります。

この映画が興味深いのは、神の存在には懐疑的な宇宙科学者でもある原作者のカール・セイガンが、随所で創造者なる神の視点を取り入れていることです。たとえば、ヴェガに降り立ったエリーが閉じ込められた透明球体の障壁を苦もなく越え、エリーの前に立つヴェガ星人テッドは、鍵のかかった2階部屋の扉を越えて、中にいた弟子たちの前に立つ復活のキリスト（新約聖書　ヨハネの福音書20章）です。テッドの語る、はるか昔に彼らヴェガ星人を創ったのちそこを去り、いつか再び戻って来る大いなる存在は全宇宙、そして地球を創り、やがて地上に再臨する全能の神キリストです。

テッドはエリーに対し、こう言います。

【字幕】テッド「君らは興味深い種だ。性格も複雑。美しい夢を追う力があり、破壊的な悪夢も描く。喪失感に苦しみ、疎外と孤独の中にいる」

これは、創造主なる神の視点から見た一級の〝人間診断〟。彼は続けます。

【字幕】テッド「荒涼とした宇宙で、心の空虚さを満たすのは、互いの存在だけだ」

彼女が宇宙へとコンタクトを求めたのは、科学者としての真理探究の欲求というより、孤独を癒やしてくれる存在への魂の探求でした。彼女は、その意味では人間の、とりわけ群衆の中の孤独をかこつ現代人の姿そのものです。

宇宙の旅から帰ってきた彼女を待っていたのは、逆相対性理論によって、彼女の旅が地上ではたった3秒で終わってしまったため、彼女の宇宙旅行を否定する政府の査問委員会です。彼らを前に、エリーは涙ながらに訴えます。

【字幕】エリー「人間は、より大きな存在に抱かれていて決して独りではないのです」

これは紛れもなく、無神論者であったエリーが宇宙に出て、実証主義の科学者の目をはるかに超えて、大いなる見えざる存在——全宇宙の創造者を身をもって感じたことの証しでした。クリスチャン的に言えば、それは彼女の〝信仰告白〟だったのです。

神学者アウグスティヌスは自伝『告白』で、「私は、あなた（神）によって創られた。だから、あなたのもとに帰るまでは、決して安らぎを得ない」と言いました。エリーは宇宙に出て、このことを実感したのです。被造物なる人間は、創造者のもとに帰る時、初めて心の空虚さを満たされ、永遠の魂の安らぎを得るのだと。

創造者の手に成る宇宙は、かくも広く、神秘に満ちていますが、その中で今のところ唯一の知的生命体である地球人は、いとも小さく貴重な存在です。それなのに権力者たちは、己のエゴによる無益な戦争で地球を傷つけ、貴い命を虫けらのように奪っています。私たちはこの目で、広い宇宙を見なければ！　時には、満天の星を眺めるような機会を作ってみましょう。60歳を過ぎた今だから、そんな余裕もできるというものです。

名声よりも愛に生きるとき、女性は《星》のように輝く

スタア誕生

（1954年・182分・アメリカ）

1954年版「スタア誕生」は、初版も入れて4回もリメイクされたうちの2回目のもので、1932年の映画「栄光のハリウッド」を下敷きにした1937年版が最初でした。ウィリアム・A・ウェルマンが監督、ジャネット・ゲイナーとフレドリック・マーチが主演し、当時開発されたテクニカラー作品です。その「栄光のハリウッド」を手がけたジョージ・キューカー監督自らのメガホンでリメイクしたのが、この1954年版。「オズの魔法使」のジュディー・ガーランドがエスター、「ロリータ」のジェイムズ・メイスンがノーマンを演じ、1955年、第12回ゴールデン・グローブ賞でそれぞれ主演女優賞と主演男優賞を受賞しました。そして同じワーナーで、表記も「スター誕生」と現代風にした作品が1976年版。フランク・ピアソン監督、バーブラ・ストライサンド、クリス・クリストファーソン主演で、舞台が映画界から音楽界に変えられ、登場人物の名前も変更され

ています。そして4回目が、「アリー、スター誕生」で、ブラッドリー・クーパー監督、レディー・ガガ、ブラッドリー・クーパー主演の2018年版です。

ここで紹介する1954年版は、1983年にリバイバル上映されたのですが、その時には、初公開時にはなかったさまざまなシーンのコマ撮り（カット画像）を随所に盛り込んでの公開でした。本来の動画のそこかしこにパッと静止画が現れ、数秒間ストップモーションで見た時の何とも言えない感触は忘れられません。

華やかな映画の都、ハリウッドの栄光と悲劇を描いたミュージカル映画です。

ストーリー

映画スターに憧れ、ハリウッドへやって来てコーラスガールになったエスター・ブロジェットは大スターのノーマン・メインと出会い、彼に見いだされて女優ヴィッキー・レスターとして大スターになった。やがて、ノーマンへの尊敬は愛に変わり結婚。しかし、ノーマンの人気は次第に下り坂になり、酒に溺れるようになって体を壊し、アルコール依存症で療養所に入ることに。退院しても、過去の栄光に捉われるノーマンは、またも自暴自棄になってアルコールに手を出してしまう。この事態に、エスターは愛する夫を介抱するため、アカデミー主演女優賞を獲得した人気絶頂のスターの座からの引退を決意。それを知ったノーマンは愛する妻のために死を選ぶ——。

何とも哀しく切ない夫婦愛ですが、妻を愛しながらも過去の栄光から抜け出せず、妻の経済力で養われる惨めさに耐えられない男のプライドと、やっとつかんだスターの座を捨てて愛する夫への愛を貫こうとする妻の健気(けなげ)な姿は、愛し合う男と女の性(さが)を描くには格好のストーリー性を持っていたのでしょう。前述のように、4回も映画化されることになりました。

映画の本当のハイライトは、ラストシーンです。エスターは自分の愛に応えることなく逝(い)った夫の死に絶望し、スターの座を去ろうとしますが、亡き夫のためにもう一度立ち上がろうと決心し、新作映画の試写会の舞台挨拶でスポットライトを浴びながら、こう〝宣言〟します。

【字幕】エスター「私はノーマン・メインの妻です。」（英語のセリフは「This is Mrs. Norman Maine.」）

このシーンを観ると、私は聖書の一節を思い出します。

「また、神である主は言われた。『人がひとりでいるのは良くない。わたしは人のために、ふさわしい助け手を造ろう。』」（旧約聖書　創世記2章18節）

いみじくもこの時の彼女は、神様が意図された〝夫にふさわしい助け手〟の妻だったと心から思うのです。普通ならこの主演女優の挨拶は、「私はヴィッキー・レスターです」でしょう。せいぜい加えても、「本名はエスター・ブロジェット」でしょうか。でも彼女はこの時、トップ女優の栄誉もプライドも全て脇へ押しやりました。彼女の挨拶はあたかも、「私は、夫亡き今もノーマンの妻。彼への愛は永遠です」と言っているかのようです。人間の愛は、相手に届かないことがあります。それでもいいのです。愛する人のために、この身をささげて生きたという確かな誇りがある限り、人は生きていけます。なぜなら、それは永遠の神の愛であるからです。

「こういうわけで、いつまでも残るのは信仰と希望と愛、これら三つです。その中で一番すぐれているのは愛です。」（新約聖書　コリント人への手紙第一13章13節）

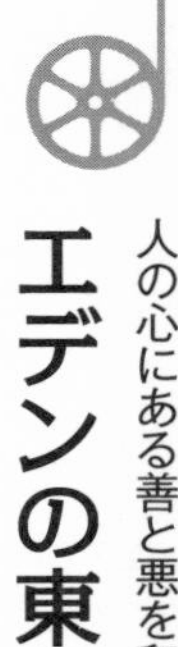

人の心にある善と悪を和解させるのは、神の愛です

エデンの東

（１９５５年・１１５分・アメリカ）

監督は名匠エリア・カザンで、ジョン・スタインベックの原作（１９５２年）のスケールの大きいドラマ性を、開発されて間もないシネマスコープの大画面でスクリーンに再現しました。

トラスク家の当主で、品行方正な兄息子を溺愛し、ひねくれた弟息子の愛を受け入れようとしない父親アダムにレイモンド・マッセイ、その弟息子キャルに、この映画でデビューした不世出の青春スター、ジェイムズ・ディーン、兄の恋人で、のちにキャルを愛するようになるアブラにジュリー・ハリス、父親からは死んだと言われながら、その実いかがわしい酒場のマダムになっていた母親にジョー・ヴァン・フリートがそれぞれ扮しました。ジョー・ヴァン・フリートは、その演技で第28回アカデミー賞助演女優賞を受賞。またジェイムズ・ディーンは、そのみずみずしい演技で、初出演ながらアカデミー主演男優賞にノミネートさ

れたのでした。

レナード・ローゼンマン作曲の主題曲の美しさも、忘れられません。そのテーマ曲が流れる中、映画の冒頭は舞台となるカリフォルニア州サリナスの町の道端で、道路に背を向けながらキャルが人待ち顔で、時々道路のほうを見ています。すると向こうから、上品なスーツを着、高級な襟巻をした老婦人が歩いてきます。そばを通り過ぎていく彼女を、上目遣いに見つめるキャルの思いつめたような瞳。母親の愛をひたむきに求めてやまないその目は幼い頃、愛する母親を失い、母の愛を求めて少年時代を過ごしたジェイムズ・ディーン自身のものでもありました。彼の必死に訴える瞳は、映画の最後でもう一度出てきます。それは、父の誕生日に豆の栽培で儲けてプレゼントしたお金を拒む父親に、「受け取ってよ！」としがみつく時の彼の切ないまでの涙の瞳です。

この映画は題名が示すごとく、聖書が基になっています（旧約聖書　創世記4章）。そしてこの映画のテーマは、人間の「善と悪」です。「善」を象徴するのが父親アダムと、彼のお気に入りの兄息子アロン。それに対し、「悪」を象徴するのは弟息子のキャルと母親です。そして、いつしかキャルと心を通わせ、最後に父と彼の和解のためのとりなしをするのがアブラです。人間の善と悪は、そのままではまるで水と油のように、決して相容れることはありません。それどころか永遠に憎み合い、闘い続けることになります。この両者が心を開くには、もう一つ、大切なものが必要です。それは「愛」です。この映画の隠れた本当のテーマは「愛」なのです。

愛は美しく、すばらしいものです。けれど、受け入れてもらえない愛ほどつらく、悲しく、心が痛むものはありません。この「善と悪」、そして「報いられない愛」のテーマがぶつかり合い、頂点に達し、砕け、静かな終焉（しゅうえん）を迎えるラストシーンは観る人の心を打ちます。

脳梗塞（こうそく）で倒れ、死を迎える父アダムに、アブラは涙ながらにキャルのことを訴えます。

> 【字幕】アブラ「愛されないと心がねじけます。今、彼に愛を見せて、彼の心の鎖を解かなければ、彼は一生罪びとです。何かを求めてあげてください。彼はあなたの愛を悟ります」

それを聞いた父がキャルに頼んだのは、無神経な看護師を追い出すことでした。キャルは彼女に「出ていけ！」と怒鳴り、それを聞いていた父のもはや表情を失った顔に満足の笑みが浮かびます。

父はついに〝善人〟の衣を脱いで、人間的な不平不満を息子の前で見せました。〝共同の敵〟を排除することで、二人の心が通ったのです。長い間、求めても得られなかった父の愛は、初めてキャルのものになりました。

人間の父の愛には限界があります。それを求める子どものひたむきさに気づけないのです。でも天の父なる神の愛は、独り子イエス・キリストをこの地上に送り、十字架で人間の自己中心の罪を負わせるほどに大きいものです。このお方を心に迎える時にのみ、私たちもまた、まことの愛を知ることができます。愛を求めてさすらう現代人の孤独の旅路は、やっと終わりを告げるのです。

「神は、実に、そのひとり子をお与えになったほどに世を愛された。それは御子(みこ)を信じる者が、一人として滅びることなく、永遠のいのちを持つためである。」

（新約聖書　ヨハネの福音書3章16節）

心を許したダチとは、最後まで付き合うのが俺の流儀だ

スケアクロウ

（1973年・113分・アメリカ）

題名のスケアクロウとは〝かかし〟のことです。カラス（クロウ）を脅す（スケア）ために田畑に立てられた大きな人形ですね。

監督はジェリー・シャッツバーグ。主演はジーン・ハックマンとアル・パチーノです。二人の男のロード・ムービー（道中もの）で、アメリカン・ニューシネマと呼ばれる何本かの映画の中でも代表作になり、1973年の第26回カンヌ国際映画祭で、最高位グランプリのパルムドールと国際カトリック映画事務局賞をダブル受賞しました。

ストーリー

暴行傷害の罪で服役し、6年間の刑期を終えたばかりのマックス（ジーン・ハックマン）と5年越しの船乗り生活から足を洗ったライオン（アル・パチーノ）が、南カリフォルニアの人里離れた道をヒッチハイク中に出会う。マックスは洗車屋を始めるためにピッツバーグ

（ペンシルバニア州＝米国中西部）へ、ライオンは一度も会ったことのない自分の子どもに会うためにデトロイト（ミシガン州＝米国北東部）へ向かうところだった。マックスは頑固者でケンカっ早くて神経質。ライオンは陽気で人懐こい。まるで正反対の二人がふとしたきっかけで意気投合し、道中を共にしていくことになる。

二人はマックスの妹の家に寄り、バーで宴を始める。刑務所を出たばかりなのに、マックスは持ち前の短気で、そのバーでケンカをしてしまい、再び更生施設のある刑務所送りになる。一緒にいたライオンもとばっちりで同送され、牢名主のジャック・ライリーに暴行を受け怪我を負う。マックスは、刑務作業中にライリーを叩きのめし、二人は1カ月後に仲良く出所する。

二人は、ライオンの目的地デトロイトに着く。ライオンは妻のアニー（ペネロピー・アレン）に会うために彼女の家の前で電話をする。けれどアニーは2年前に再婚しており、「子どもは死んだ」と嘘をつく。それを聞いたライオンは公園で絶望のあまり錯乱状態に陥り、病院に担ぎ込まれる。昏睡状態のライオンにマックスは、「お前がいないと洗車屋ができない、お前の面倒は俺が見る」と語りかける。一人で駅へ向かったマックスは、再会を期して有り金をはたき、ピッツバーグ行きの往復切符を買うのだった――。

なんとも切ないのは、このライオンの錯乱です。妻の再婚の知らせに、精いっぱい喜ぶふりをするライオン。「なぜ子どもは死んだ？　なんで俺を待っててくれなかった？」とは、マックスなら言えても、心優しい彼には言えないのです。

彼の生来の優しさは、映画の冒頭で初めて知り合ったマックスとの〝かかし談義〟にも表れます。彼によれば、かかしは人に似せてカラスを怖がらせるのではなく、ヘンな顔をしているのでカラスは笑い、それを作った農夫をかわいそうに思って作物を荒らさないのだと。そして、こう言ってマックスを諭します。

【字幕】ライオン「カラスのように、君も敵とのトラブルは笑顔で解決しろ」

結局彼の優しい心は、厳しい現実を受け止め切れなかったのですが、彼のような生き方は、厳しい現実社会では無理なのでしょうか？　いいえ、私はそうは思いません。彼の柔和さは、いつしかケンカ好きで頑固なマックスの心をも、変えていったのです。彼が全財産で買った往復切符は、ライオンの根っからの優しさに惚れ、意識を取り戻すかどうかも分からない彼と人生を共にしようというマックスの決意を、さりげなく表しています。

優しさのゆえに心を病む人々に、キリストはこう言っています。

「柔和な人は幸いです。その人たちは地を受け継ぐからです。」（新約聖書　マタイの福音書5章5節）

勝ち組が社会を支配し、能力ある者が他者を蹴落としてのし上がっていく現代に、どうして柔和な者が地を受け継ぐ（この世界を支配する）ことができるのでしょうか？　それは、人の心を本当に変え、生かすのは、優しい愛の心だからです。他ならぬイエス・キリストこそ、世界一〝柔和な人〟なのです。

「すべて疲れた人、重荷を負っている人はわたしのもとに来なさい。わたしがあなたがたを休ませてあげます。わたしは心が柔和でへりくだっているから、あなたがたもわたしのくびきを負って、わたしから学びなさい。そうすれば、たましいに安らぎを得ます。」（新約聖書　マタイの福音書11章28～29節）

父は子のために命を捨てる。だから《人生は美しい》

ライフ・イズ・ビューティフル

（1997年・117分・イタリア）

この映画は、〝イタリアのチャップリン〟と称されるロベルト・ベニーニが監督・脚本・主演をこなした作品です。彼は全編、温かいユーモアと哀しみをスクリーンに漂わせつつ、第二次世界大戦下のユダヤ人迫害（ホロコースト）を、ユダヤ系イタリア人の親子の視点から描き出しました。カンヌ国際映画祭では審査員グランプリを受賞。第71回米国アカデミー賞で主演男優賞、作曲賞、外国語映画賞の3賞を受賞しました。この主演男優賞は、本命のトム・ハンクス（映画「プライベート・ライアン」）を抑え、英語圏以外の人として初の快挙でした。

ストーリー

第二次世界大戦前夜の1939年、ユダヤ系イタリア人の陽気なグィドは、叔父を頼りに友人と共に北イタリアの田舎町にやって来る。彼は、小学校の教師ドーラと駆け落ち同然で結婚し、一人息子ジョズエが生まれる。しかし次第に戦時色が濃くなり、ユダヤ人に対する迫害が始まる。北イタリアに駐留してきたナチス・ドイツによって、三人は強制収容所に送られ、ジョズエは男の子なので父とは一緒にいられたものの、母とは引き離されてしまう。不安がるジョズエに、グィドはこんな嘘をついて現実を忘れさせようとする――。

【字幕】グィド「これはゲームなんだ。泣いたり、ママに会いたがったりしたら減点。いい子にしていれば点数がもらえて、１０００点たまったら勝ち。本物の戦車に乗っておうちに帰れるんだ」

絶望的な収容所の生活も、グィドの弁術にかかれば楽しいゲームに変わり、ジョズエは希望を持って生き延びる。ナチス敗戦でドーラを探す最中、敵に見つかったグィドは、息子をごみ捨て缶の中にかくまい、自分に敵の注目を集めて、その凶弾に倒れる。ナチス撤退後、ゲームのシナリオ通り、収容所に連合軍の戦車が現れてジョズエたちを解放し、ジョズエは母と再会を果たす――。

この映画のタイトル「ライフ・イズ・ビューティフル」（原タイトルはイタリア語）は、「人生は美しい」という意味ですが、「人生はすばらしい」とも訳せます。この映画を見て、タイトルに思いを馳せる時、二つのことを考えさせられます。

一つは、どんな状況になっても、人間は、〝夢〟と〝希望〟、そして何よりも〝笑い（ユーモア）〟を忘れてはならないということです。裏返して言えば、どんなに厳しく、時としてグィド親子三人のように死に囲まれた人生でも、この三つがあれば、生き抜くことができるのです。

ベニーニ自身にナチスによる投獄の経験はないのですが、彼の父親は2年間投獄されたといいます。父からその時の経験を聞いたことが、この映画の製作を思い立った一つの動機になりました。また彼は、ソ連の独裁者スターリンによって最後は殺害された無政府主義者のトロツキーが、死の恐怖におびえながらも、「それでも人生はすばらしい」と言ったことを知った時、死をも乗り越える人生のすばらしさの映画化を決意したといいます。その製作意図は、グィドの死という不幸な結末を、観客にまるでハッピーエンドかと思わせてしまうことによって、十分に達成されたと言えるでしょう。

もう一つは、この映画が、自らを犠牲にして人の命を救うところに現される「人生の美しさ」を描いている点です。この映画のラストは、そこで初めて登場する大人になった息子ジョズエの述懐で締めくくられます。

【字幕】ジョズエ「父が命をささげて贈り物をしてくれた」

〝強制収容所での虐殺〟というのは、映画の題材としては最も重いテーマです。しかし監督ベニーニはこのおぞましいテーマを、〝人が愛する者のために命を捨てる〟という、崇高で胸を打つ物語に移し替えました。このテーマは、ご自身のみ子を十字架につけて身代わりに殺すことで、人間を永遠の裁きの死から救ってくださったという神の愛を思い出させずにはおきません。

ベニーニ演ずるグィドは、決して勇敢でもなければ、高潔な人格の持ち主でもありませんでした。でも、彼の家族への愛だけはホンモノだったのです。愛は、当人も思いもしなかったほどの勇気を与えます。ジョズエの父へのオマージュのひとこと、「命の贈り物」は、イエス・キリストの十字架の愛を信じることによって、私たち一人一人へのものになります。

男の兄弟の仲が淡泊というのはウソだ

レインマン

（１９８９年・１３４分・アメリカ）

自由奔放な弟と重い自閉症を患う兄の、失われていた兄弟の絆の回復を描いた心温まるヒューマンドラマで、ロード・ムービーの側面も持った作品です。第61回アカデミー作品賞、主演男優賞（ダスティン・ホフマン）、監督賞（バリー・レヴィンソン）を受賞、さらには第46回ゴールデン・グローブ作品賞（ドラマ部門）、第39回ベルリン国際映画祭作品賞を受賞しました。

ストーリー

高級外車の販売会社を経営し、自由奔放に生きていたチャーリー（トム・クルーズ）は幼くして母を亡くし、父とも不仲で早くに親元を離れて生活していたが、排ガス規制のために経営が危うくなる。社員に仕事を押し付け、彼女と週末旅行に出かけた彼のもとに、長い間没交渉になっていた父の訃報が届く。遺言には、高額の遺産３００万ドルが、幼時に別れてほとんど彼の記憶にない自閉症（正確にはサヴァン症候群）の兄レイモンド（ダスティン・ホフマン）に渡るとあった。彼は、ならば弟の自分も半分はもらえるのではと施設の兄を連れ出し、ロサンゼルスに戻ろうとするが、そこからが大変。彼は、兄の病気の〝実態〟を目の当たりに知らされることになる――。

当初、ホフマンは弟の役でしたが、「兄の役を演じたい」と何度も原作者に面会して直訴し、OKをもらうと役に文字通りのめり込みました。この病気の特徴をひとくちで言うと、「知能指数自体は高いが、自分をうまく表現できず、自分の感情をよく理解できていない状態」です。また床に落ちた爪楊枝（つまようじ）を瞬時に数えるなど数字に強いという特性を持ち、行動パターンと記録収集に強い執着があります。決めたことができないままでいると不安定になり、その時は、あるフレーズを復唱して心の安定を保ちます。レイモンドはこれです。

【字幕】レイモンド「一塁手は誰（Who）だ？」（映画「アボットとコステロ」のセリフ）

そんな兄と、初めて1週間を共に過ごす弟の物語は、私たちに人生についていくつかの大切なことを考えさせてくれます。

●人生は、ひとつの出会いで変わるもの

めったなことでは変わらない人生が、ある出会いによって大きく変わることがあります。チャーリーはロスに戻る1週間の車の旅で、大切なものを見つけ出します。それは、父の遺産の300万ドルを捨てても惜しくないものでした。

●閉ざされた心に秘めた美しさ

兄は自閉症で意思の疎通も判断もままなりませんが、前述のように驚くべき記憶力と計算力を持っています。けれどチャーリーは兄と寝食を共にすることによって、その超能力にも増して大切なことに気づきます。それは、兄の心の幼子のような純粋さです。そして彼が、自分のせいで弟が危険にさらされないよう自ら施設に入ったと知った時、チャーリーの心は兄に対する愛おしさにあふれます。ホテルの一室で、兄が一度は女性と踊れるよう自分が相手になってダンスを教えるくだりは、心に残る名シーンです。

●レインマン（障がい者）がメインマン（無二の親友）に

弟チャーリーの心には、幼い頃、雨の日にはいつも〝レインマン（雨男）〟がやってきて、歌を歌ってくれた淡い思い出がありました。でもそれは、幼かった彼がうまく発音できなかった兄の名〝レイモンド〟だったのです。優しいレインマンの記憶が、目の前の兄レイモンドと重なった時、彼は兄を引き取って一緒に暮らそうと決心しますが、兄の判断能力のなさが、法的にそれを許しません。

別れの朝、兄レイモンドは、いつもの独り言ではなく、弟チャーリーに向かってこう呼びます。

【字幕】レイモンド「チャーリー、メインマン」（なくてならない大切な人の意）

初めて〝弟〟チャーリーを認識した兄の肩を、弟はそっと抱きます。

障がいの有無にかかわらず、私たちがお互いに相手の人格を丸ごと受け入れる時、彼は私たちの〝メインマン〟になるのです。あなたにとって、メインマンは誰でしょうか？

イエス・キリストは私たち人間に、こう言いました。

「わたしはあなたがたを友と呼びました。」（新約聖書　ヨハネの福音書15章15節）

家族の絆は血よりも濃い。だが血肉の争いほど怖いものはない

《シリーズ》ゴッドファーザー1

（1972〜1991年・アメリカ）

約3時間の長編映画で、マリオ・プーゾの小説『ゴッドファーザー』（1969年）の映画化作品で全3部作シリーズの第1弾です。監督は3作ともフランシス・フォード・コッポラ。「ゴッドファーザー」とは、「名付け親」ですが、正式には洗礼式に選定される「代父」のことであり、その後の生涯にわたって第二の父として人生の後見を担う人をいいます。

公開されると当時の興行記録を塗り替える大ヒットになり、第45回アカデミー賞では作品賞・主演男優賞（マーロン・ブランド）・脚色賞（原作者マリオ・プーゾ、フランシス・フォード・コッポラ）の3賞を受賞し、他にもあの美しいテーマソングで知られるニーノ・ロータの作曲賞を始め8賞がノミネートされました。

ストーリー

「ゴッドファーザー1」（1972年・177分）

1945年のニューヨーク。裕福なコルレオーネ家では、娘のコニー（タリア・シャイア）の結婚パーティーが行われていた。そこに海兵隊帰りの三男マイケル（アル・パチーノ）が、恋人のケイ（ダイアン・キートン）と共に帰宅。パーティーに人気歌手ジョニー・フォンテーンが登場したのを見て驚くケイに対し、マイケルは父であるドン・ヴィトー・コルレオーネ（マーロン・ブランド）を始めとする家族が皆、非合法組織の幹部であることを告白。とはいえ、国の英雄として帰ってきたマイケルはあくまでも堅気として生きていくつもりであり、それを家族も認めていた。

しかしある時、父が他の組織によって銃撃されて重傷を負い、兄の次男ソニー（ジェイムズ・カーン）も殺されたことがきっかけとなり、マイケルは徐々に組織の活動に足を踏み入れ、心臓発作で死んだ父の跡を継ぐ。ついには、組織のトップに昇り詰める——。

「ゴッドファーザーⅡ」（1974年・200分）

ドンとなって、さまざまな問題に直面するマイケルがやがて家族を失っていく様（さま）と、マイケルの父であるヴィトー・コルレオーネが、ファミリーを築いていく過程を交互に映し出した長編。第47回アカデミー賞では作品賞を含む9部門でノミネート、うち作品賞・監督賞・

助演男優賞・脚色賞・作曲賞・美術賞の6部門を受賞。作品賞を受賞した映画の続編が再び作品賞を受賞したのは、アカデミー賞史上唯一の快挙です。

1901年、イタリア・シチリア島にあるコルレオーネ村。ヴィトー少年は地元マフィアのボスであるドン・チッチオによって家族を殺されてしまう。命からがら逃げてきた彼は、船に乗り込みアメリカへ。やがて成長したヴィトー（ロバート・デ・ニーロ）は仲間と共に、同じイタリア移民を搾取して私腹を肥やし続けるドン・ファヌッチの暗殺を企てる。

一方、前作から5年が経ちドンとなったマイケルは、カジノのあるラスベガスを収入源にするため、組織の拠点をニューヨークからタホ湖畔に移していた。しかし、息子アンソニーの初聖体拝領のパーティーをした晩、マイケルはケイと共に何者かによって銃撃される。彼はマイアミを拠点とするユダヤ系マフィアのハイマン・ロスが裏にいるとにらんだが、同時に身近な人物が裏切っていることを確信するようになる――。

「ゴッドファーザーⅢ」（1991年・162分）

前作ラストから20年後の1979年。マイケルは長年の犯罪稼業による罪の意識にさいなまれ、組織の合法化に尽力する。その結果、バチカンからも認められたマイケルは引退を決意。甥のヴィンセント（アンディー・ガルシア）を後継ぎにしようとする。しかし、対立するマフィアであるジョーイ・ザザによってマイケルは狙われ、ヴィンセントがそれに報復する形で抗争が勃発。さらに、マイケル自身も病に蝕(むしば)まれていく――。

この3部作は、半世紀に及ぶコルレオーネ・ファミリー三代の盛衰を描く壮大で悲劇的なドラマで、端的に言えば、男たちの宿命である血で血を洗う権力闘争と、その陰で泣く女性たちの物語です。ドンもマイケルも、外では絶えず死を覚悟した武装闘争に明け暮れながら、内では家族の結束を大切にし、妻や子ども、孫たちには優しい夫、父、祖父であろうとします。けれども、それほど大切にした家族でさえ、己の権力の座を守るためには粛清してしまいます。最後に彼らを待っていたのは、家庭破壊と病、そして孤独の死でした。これは、人間の罪が支払う報酬です（新約聖書　ローマ人への手紙6章23節参照）。人は、神の前に裸になって自らの罪を告白しない限り、本当の平安は得られないのです。

愛する者の生前の夢は残った者が叶えよう

ノッティングヒルの洋菓子店

（2020年・98分・イギリス）

「ノッティングヒル」はイギリスの首都ロンドン市内の地名ですが、映画でその名を聞けば、1999年公開、ジュリア・ロバーツ、ヒュー・グラント主演の「ノッティングヒルの恋人」を思い出しますね。この映画は、当然ながらあの映画の甘い感動をもう一度というファン層を狙っただけでなく、これが長編初めてという女性監督のエリザ・シュローダーが3世代の女性たちの愛情と、彼女らを助ける青年の友情を、ロンドンの人気デリ店「オットレンギ」の全面協力できめ細かく描き出したヒューマンドラマです。

私にとっては、ワーナー在職時代に大好きだった「幸せのレシピ」を思わせる楽しい映画でした。あの映画の中の豪華な料理が、この映画では世界中のケーキに代わり、2020年クリスマスに劇場公開されました。本書の中では最新作です。

ストーリー

主演は、映画には登場しないまま事故で亡くなった女性サラの遺志を継ぐため、お菓子店を開こうとする親友のパティシエ、イザベラ（シェリー・コン）、サラの一人娘のクラリッサ（シャノン・ターベット）、娘サラの資金借り入れの依頼を断り、不仲になったまま逝かせてしまった祖母のミミ（セリア・イムリー）、そしてパリのパティシエスクールでサラやイザベラの仲間だったマシュー（ルパート・ペンリー＝ジョーンズ）の四人。

名店で修行を積んだパティシエのサラと親友イザベラは、長年の夢だった自分たちの店をオープンすることに。そんな矢先、サラが突然の事故で他界。夢を諦め切れないイザベラとサラの娘クラリッサは、絶縁していたサラの母ミミ（クラリッサの祖母）も巻き込んで、パティシエ不在のまま開店に向けて動き出す。そんな彼女たちの前に、ミシュラン二つ星レストランで活躍する男性シェフ、マシューが現れる。かつて恋人だったサラから逃げた過去を持つ彼は、あることを償うためにパティシエに名乗りを上げたのだ。四人はそれぞれの思いを抱えながら、サラの夢を叶えようと奮闘を開始する。

念願のお菓子の店をオープンしたものの、客足はさっぱり。それを救ったのは、ミミのひらめきだった。ロンドン、とりわけノッティングヒルは、世界中のさまざまな国の人々を受け入れ、働いている〝人種のるつぼ〟のような街。みんな、ふるさとのお菓子を食べたがっている。（その中には、抹茶ケーキを注文した日本人女性も。）そこに目を付けたミミのアイデアによって、〝ふるさとの味〟のお菓子を販売したことが、ピンチに陥った洋菓子店を救うことになる――。

この映画に共感できる二つの点を挙げてみます。

一つは死の悲しみです。およそ人生のテーマとして〝死〟は重いテーマですが、その中でも〝最愛の人を亡くす〟のは、悲しみの最たるものです。この映画では、それは主人公の一人イザベラの親友であり、クラリッサの母であり、ミミの娘であり、マシューの恋人であったサラでした。エンドクレディットに流れる歌の歌詞がいみじくも語っているように、登場人物の全てが、亡くなったサラを心から愛していたのです。悲しみは共有すべきです。

亡くなった人に何かやり残したことがあった場合、残された者たちは、できることならなんとかそれを故人に代わって実現させたいと願います。この映画が共感を誘うもう一つのポイントは、残された四人が愛するサラの夢を叶えようと知恵を絞り、力を出し合って奮闘することのすばらしさです。人生で、悲しみは時として奇跡の力を生むのです。

彼らは店の客も、「ラブ・サラ（サラを愛して）」（映画の原題は「Love Sarah」）と名付け、彼女を大きな幹にして、みんなが枝のように連なっていく様子が観る者の心を何ともいえない温かいもので包みます。その正体は〝愛〟です。サラへの愛は、彼女が生きていればきっとそうしたに違いない顧客一人一人への愛となって実を結びます。四人は、故郷を遠く離れ、寂しくつらい人生を送っている人々の心に寄り添って、その人々が望むもの――懐かしいふるさとの味を与えますが、そのような〝与える愛〟は、やがて何倍もの祝福になって返ってくるのです。

聖書は言います。「これらすべての上に、愛を着けなさい。愛は結びの帯として完全です。」（新約聖書　コロサイ人への手紙3章14節）

知ったらハマる字幕翻訳の世界❶

字数制限は翻訳者泣かせ

字幕の日本語訳は、映画の登場人物がそれぞれのセリフをしゃべっている間に読み切れる長さで訳さなければなりません。

それは1秒間に4文字。2秒のセリフなら4字×2秒＝８字内ということになります。

ところが一方、映画でしゃべって耳に入るセリフを、目で読む活字に置き換えると、耳と目では情報量が違うので、全情報量の３分の１まで減ってしまいます。そこで字幕翻訳者は、次のような作業を行います。

①凝縮（余分な言葉を省略して、全体を縮める）
②言い換え（意味を変えないで、簡潔な言葉に言い換える）。
③取捨選択（本筋に関係のない部分は切り捨てて、ストーリーに関係のあるコアの部分を取り出して訳す）。

◆映画「サン・オブ・ゴッド」の冒頭、イエスがペテロに聞くシーン。

イエス「Do you need help?」

【直訳】助けが要るかね？

【字幕訳】助けを？

ペテロ「There's nothing to help with.」

【直訳】助けてもらうことは何もない。

【字幕訳】要らない。

イエス「What are you doing?」

【直訳】何をしているんだ？

【字幕訳】何してる？

ペテロ「Going Fishing.」

【直訳】漁に行こうとしてる。

【字幕訳】漁に行く。

ペテロ「I'm telling you, there's no fish out there.」

【直訳】言っとくけど、あそこで魚は獲れないぜ。

【字幕】今日は獲れない。

第二章

周りへのご機嫌伺いは、もうおしまい

「第二の人生」こそ、ホンモノかもしれない

人生に我慢と忍耐は付きものです。あなたも長く厳しい人生、若い頃には意地悪な教師やいじめっ子のクラスメートに、大人になって社会に出てからは得意先やイヤな上司、同僚に、悔しい目に遭わせられたことはあったはずです。

私もワーナー・ブラザースで過ごした46年半の間には、「駄目だ、これ以上は我慢できない」と、退職届を懐(ふところ)に忍ばせたことが2度ありました。いずれも、上司との対立でした。2度目の時は、アメリカ本社から全世界の製作部門を統括する大ボスが調停に飛んで来るほど、大きな対立になりました。最終的にその対立をとどめたのは、キリスト教の信仰でした。「このワーナーに千載一遇(せんざいいちぐう)のチャンスで入れたのも、好きな製作部門で劇場とホームビデオ双方の字幕・吹替製作総責任者として存分に働けたのも、全て神のご計画だ。そうだとしたら、この局面もきっと神が切り開いてくださる」と信じて、交渉に臨んだのです。

結果として私は、ホームビデオ部門を後進に任せ、古巣の劇場部門で余力を振るえること

になりました。それから20年余り、その上司とはそれをきっかけに友好関係を保ち、退社の折には長年の働きに対し、夫婦海外旅行という特別なビッグプレゼントをいただきました。

本書をお読みのあなたも、つらい思いを何度かしながらとにもかくにも人生の荒波を乗り越え、第二の人生をお始めになったのではないでしょうか。お得意先や上司への〝ご機嫌伺いの人生〟におさらばし、これからは自分のための人生を生き抜いてもいいのでは？　そして目を大きく世界に向け、国家間の対立や世代の断絶、さまざまな不条理のもとになっている〝善と悪〟の問題についても真剣に、じっくりと考えてみる時ではないでしょうか。

第二章では、その参考になりそうな8本の作品を収めました。一見、そこに統一的な共通項はなさそうですが、〝己の信念のために、他者のために、平和のために、自由のために〟周りにおもねることなく自らを差し出す勇気と、人生経験で得た知恵を若い人々に伝える術（すべ）を見つけ出してもらえればと思います。

本当に信頼できる大人がいれば、若者の反抗はやむのだ

理由なき反抗

（1956年・111分・アメリカ）

「エデンの東」で一躍脚光を浴びたジェイムズ・ディーンが、2作目として主演した映画です。24歳だった彼が17歳の高校生ジムを演じますが、7歳の年の差を全く感じさせない等身大の演技で、ふがいない父親と、気が強く家庭内を取り仕切る母親に反抗しながら、大人への自我に目覚めてゆく若者をスクリーンに描き出しました。原題「Rebel Without A Cause」をそのまま日本タイトルにした「理由なき反抗」という言葉は、このジミーの高校生像と共に当時の若者たちの支持を受け、流行語になりました。

原作はニコラス・レイで、それを彼自身が監督した作品ですが、アメリカで公開された1955年10月を待たず、ジェイムズ・ディーンはそのわずか1カ月前の9月30日に自動車事故で世を去りました。

日本公開は翌1956年4月で、私はその時、中学3年生でした。ジェイムズ・ディーンが遺した3本の映画で、最も単純に共感を覚えたのは、年齢的に一番近かったこの「理由なき反抗」でした。あの赤いジャンパーがかっこよくて、なけなしの小遣いを貯め、赤ではありませんでしたが緑色のジャンパーを買ってそれからの数年、擦(す)り切れるまで着ていたものです。

ストーリー

映画の冒頭は警察の留置場で酔っ払ってコンクリートの床に四つん這いになり、ゼンマイ仕掛けのオモチャと戯れる17歳、高校生のジム(ジェイムズ・ディーン)を、両親が「またか」という顔で迎えに来る。彼はケンカをしたかどで警察に連行されたのだ。彼はそこで、夜間外出で保護された少女ジュディー(ナタリー・ウッド)や、小犬を撃ち殺して連れてこられた少年プレイトー(サル・ミネオ)と知り合う。

ジムの一家は最近、この町へ越してきた。ジムの非行が原因で、一家はたびたび引っ越しをしている。翌朝、転校したドウスン高校へ登校の途中、ジムは不良学生のバズと、その仲間三人と一緒のジュディーに会う。

その日の午後、学校の校外学習でプラネタリウムに出かけたジムは、彼らに目をつけられ、リーダーのバズにケンカを売られる。二人はプラネタリウムの建物の外でナイフを手に勝負するが、見つかった守衛に止められ、夜中、〝チキンラン〟（ひよっこ競争）で決着をつけることになる（チキン〈ひよこ〉には〝臆病者〟という意味もあるが、チキンランとは断崖のそばで並んで車を走らせ、崖の手前で車から飛び降りてどちらが最後まで残ったかで肝っ玉を競うカーレース）。二人は、盗んだ中古車をジュディーの合図で一斉に走らせるが、バズは降りようとしてジャンパーの袖口がドアハンドルに引っ掛かり、崖から真っ逆さまに墜落する。

バズの復讐を誓う不良グループからジムを守ろうと、プレイトーは家から父の拳銃を持ち出す。彼を殺人者にさせないようにするため、ジムがこっそり弾を抜いたのも知らず、取り囲んだ警官は彼を射殺する。ジムは警察官に向かって、「弾は入ってなかったんだ！」と叫び、プレイトーが家を出る時、慌てて履いた色違いの靴下を見て泣き笑いする彼の肩を、両親はしっかりと抱くのだった——。

断崖から落ちる車中のバズの目線で、目の前に白い波濤（はとう）を上げる真っ青な海面が迫ってくるカメラワークと彼の恐怖の絶叫は、70年近く経った今も私の脳裏に鮮明に焼き付いています。しかし、何といっても印象に残るのは後半、人気（ひとけ）のない空き家でのジム、ジュディー、プレイトー三人の語り合いのシーンと、それに続く悲しいラストシーンです。

いつの時代も、若者は大人になろうと背伸びしつつも、現実の親の姿にイライラし、文字通り理由のない反抗を試みます。若者は、正しいことを正しいと言い、間違いを間違いと言って進む道を示してくれる大人を求めています。本当に信頼できる人間が、そばにいて欲しいのです。また、心の中を語り合い、喜びや悲しみを共有できるまことの友を求めているようにも見えます。

ラストのプレイトーの死は悲劇ですが、このような悲劇は、今も現実に起きています。一つには、簡単に銃を手にできるアメリカの社会的欠陥のせいもありますが、大切なのは、残った大人たちがその死を無駄にしないよう、どのような行動を取るかということです。ラストのジムの両親の彼への態度は、その可能性を示唆しています。

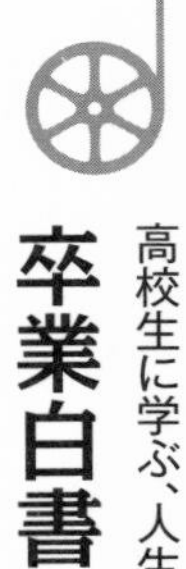

高校生に学ぶ、人生の帳尻の合わせ方

卒業白書

（1984年・98分・アメリカ）

トム・クルーズのワーナー映画出演第1作で、彼の出世作。ポール・ブリックマン監督・脚本の青春映画です。1962年生まれのトム・クルーズはこの時、弱冠21歳で、18歳のジョエルをほぼ等身大で演じました。当時、42歳だった私はその半分の年齢のまぶしい若者と、スクリーンで初めて出会いました。特に、ワイシャツにブリーフ姿のままギターの演奏スタイルで画面の端から中央にスッと出てきて踊るシーンを見て、「なんてかっこいい若者だ！」と思ったものです。

ストーリー

両親の期待を一身に担い、大学受験を控えながら若さを持て余してセックス願望に捉われたジョエルは、売春婦のラナ（レベッカ・デ・モーネイ）に恋をする。だが、言葉で傷つけてしまった彼女に親の高級車を湖に沈められた彼は、修理代をまかなうために、彼女と組んで自宅を売春パーティーの場にしてひと儲けしたり、彼女のヒモに盗まれた家具一式を両親の帰る直前に一計を案じて取り返したりと、将来の大事業家の片鱗（へんりん）をうかがわせる〝危険なビジネス〟（原題「Risky Business」）をやってのける。そして折しも、志望校のプリンストン大学から面接に来た面接官に、経済学部合格の内定をもらうことに――。

人生は山あり谷ありですが、その山や谷は普通、何十年かの間に起こります。でも彼は、高校生活の最後の1週間、親の助けも得られない中で体験してしまうのです。若者の力は決して過小評価できません。３００ドルの負債はできたものの、憧れの恋人をゲットし、名門大学まで受かってしまうことから、観客は〝人生は結局プラスマイナスゼロになるのだ〟という実感を持ちます。クリスチャン的視点で言えば、〝どんなにつらいことがあっても、神は全てのことをうまく働かせて、最後に帳尻を合わせてくれる〟という確信です。

「神を愛する人たち、すなわち神のご計画にしたがって召された人たちのためにはすべてのことがともに働いて益となることを、私たちは知っています。」（新約聖書　ローマ人への手紙8章28節）

人間のあらゆる〝差別〟に、最後に勝利するのは〝愛〟

カラーパープル

（1986年・154分・アメリカ）

スティーヴン・スピルバーグ監督初のシリアスドラマで、第58回アカデミー賞で作品賞、助演女優賞（二人）など、10部門（11人）で候補に挙がったのに、結果的には無冠に終わったという珍しい記録を持っています。

ウーピー・ゴールドバーグはこのデビュー作でアカデミー主演女優賞候補になり、第43回ゴールデン・グローブ賞で主演女優賞（ドラマ部門）に輝きました。

ストーリー

1909年、アメリカ・ジョージア州の小さな町で、まだ幼さの残る少女セリーが出産する。彼女にとって、美しく賢い妹ネティーだけが心の支えだった。その後〝ミスター〟と呼ばれる横暴な男のもとへ嫁いだセリーは、奴隷のような扱いを受けるつらい日々を過ごす。ネティーもミスターの性暴力を逃れて家を出て、消息が途絶える。ある日、ミスターが愛人の歌手シャグを家に連れ帰る。自立の精神を持つシャグとの出会いを通し、ようやく明るい未来を予感するセリーだったが、ミスターの差別と暴力との闘いは、さらに20年以上も続くことになる――。

この映画をひと言で言うと、「差別と抵抗」の物語です。神に創られた人間が神のように偉くなろうとして、神の戒めに反旗を翻し、己を他者よりも優れた者とし始めた時から、人類史に〝差別〟が始まりました。そしてまたそれに対する〝抵抗〟も始まったのです。

●強者による差別

映画の舞台は1900年代初頭のアメリカ南部ですが、そこに根強く横たわる4種類の人間差別が描かれます。

①性差別：男→女（性の暴力、DV）。セリーの父親（実は育ての親）→セリーへの近親相姦と出産（40年後の子どもたち二人との再会）。嫁いだ相手の〝ミスター〟による人格無視とDV。

②人種差別：白人市長夫人ミリー→黒人たちへの恐怖感、反抗者への虐待。

③宗教的権威による差別：義人・聖人（シャグの父親・牧師）↓罪人（娘シャグ↓ミスターの愛人、酒場の歌手）。

父の愛を求めて得られず酒場の歌手になった牧師の娘シャグと、その謹厳さと善良さのゆえに娘を受け入れられない父との関係は、「エデンの東」の父と息子の関係に似ています。

④ステータス差別：強者（アフリカの鉄道会社による鉄道敷設）↓弱者（アフリカに渡ったセリーの最愛の妹ネティーたち）の貧困者診療施設の強制撤去。

●弱者たちの抵抗と脱出

40年にわたる強者↓弱者の差別・抑圧（権力、暴力による）が、セリーらの抵抗と脱出によって終わりを迎えます。セリーを人間性に目覚めさせたのは、シャグのセリーに対する愛と友情（美しいキス。美しい歌「シスター」）でした。

●〝抵抗〟は〝愛〟によって〝差別〟に勝利する

①牧師と娘シャグの和解：

教会（聖の世界）の礼拝で／会衆賛美「神の話を聞こう」

酒場（俗・罪の世界）で／シャグと客の恋愛歌「あたしの言葉を聞いて」

この二つの歌の群れが神の教会の中で一つになって、牧師の父（神）と放蕩娘シャグ（人間）は40年ぶりにハグし合い、シャグは泣きながら父に訴えるのです。

【字幕】「パパ、罪人にも魂はあるのよ」

②セリーと妹ネティーの40年ぶりの再会：出産時に取り上げられた子どもたちオリヴィア、アダムとの初めての再会。これは天国の前味です。

ここから、エンドクレディットの最後まで、全てのシーンがパープル（紫）一色になります。黒い肌は変わらなくても、人は信仰と強い生きる意志がある限り、〝カラーパープル〟（高貴な魂）を持って生きられます。

神の最高の被造物である人間の自由と人格は、人間の罪のゆえにいっときは抑圧されていても、やがて必ず回復の時が来ます。それを可能にするのは、無条件の〝神の愛〟です。この愛なくして、人は生きられないのです。

「何よりもまず、互いに熱心に愛し合いなさい。愛は多くの罪をおおうからです。」（新約聖書　ペテロの手紙第一　4章8節）

人間の目はごまかせても〝天の法廷〟が待っている

ＪＦＫ

（１９９２年・２０６分・アメリカ）

監督オリヴァー・ストーン、主演ケヴィン・コスナー（ジム・ギャリソン）、上映時間３時間26分、セリフ数約３０００（いずれも通常の２本分）で、第35代アメリカ大統領ジョン・Ｆ・ケネディーの暗殺事件を扱った大作です。

ストーリー

１９６３年11月22日。テキサス州ダラスで遊説中のケネディーが暗殺された。アメリカ全土に衝撃が走る中、容疑者オズワルドが逮捕されるが、彼も護送中に射殺されてしまう。政府の「ウォーレン委員会」による調査結果に疑問を抱いたニューオーリンズの地方検事ギャリソンは、真相を究明するために単独で調査を開始する――。

この映画は、オリヴァー・ストーンが作った「プラトーン」（１９８６）、「７月４日に生まれて」(1989)、「天と地」(1993)の、いわゆるヴェトナム3部作を結ぶ要の作品で、次のプロローグで始まりエピローグで終わります。

【字幕】 プロローグ 「抗議すべき時に沈黙するのは卑怯者である。W・ウィルコックス」
エピローグ 「この作品を、真実を探求する若者にささげる」

それは一国の元首を数発の銃弾で肉塊と化させながら、それを闇に葬ろうとする巨大な国家権力に対する、彼の命懸(が)けの抗議でした。

ケネディーが暗殺された運命の日、私は22歳の青年でした。政治にはあまり興味のなかった私でしたが、国内では黒人の人権のために戦い、世界の冷戦と核危機に際して一歩も引かずにソ連のフルシチョフ首相と渡り合った、理想主義に燃えた若き大統領ケネディーには、〝世界の希望の星〟として密かに熱い声援を送っていました。そこにあまりにも衝撃的なニュースが飛び込んで来たわけです。彼の死後、アメリカ国内は右傾化、ヴェトナム戦争も泥沼化し、解けかけた東西冷戦は深化していきます。

この作品の約3時間半の中で、私自身がとりわけ鮮明に覚えているシーンのセリフを2カ所取り上げます。シーン1は、ギャリソンが居間で、大統領の弟ロバート・ケネディーがカリフォルニア予備選勝利の直後、暗殺される場面をテレビニュースで見て、初めて恐怖に駆られ、寝室で待つ妻リズを激しく抱擁するシーンです。

【字幕】 ジム「愛が足りなかった」

英語原意の「もっと君を愛していれば良かったのに」という彼の痛恨の言葉を、この映画の翻訳者の故・進藤光太氏は、右記のように訳しました。けだし名訳です。私たちにも愛する夫、妻、家族、恋人、友人がいますが、そのかけがいのない人々に、愛を示すことを怠ってはいないでしょうか？　死と隣り合わせの人生で、この時を逃したらその機会は二度と来ないかもしれません。全てのことには、特に〝愛する〟ことには時があるのです。

「愛するのに時があり、憎むのに時がある。」（旧約聖書　伝道者の書3章8節）

二つ目は、ラスト40分の息詰まる法廷シーンです。ここでのジム・ギャリソンは、まさしく監督オリヴァー・ストーンの化身です。彼は名優コスナーの口を借りて、彼自身の心の中にあったものを一気に吐き出したかの感があります。ギャリソンは米英の著名人物三人の言葉を引用して、「クレイ・ショーを第一級有罪判決に！」と陪審員の良心に訴えかけます。

【字幕】ジム「心に問うのです〝国のために何ができるか〟と」

これは、ケネディー大統領就任演説の一節の引用です。

【字幕】ジム「〝死にゆく王に権威なし〟とか」「死にゆく王を忘れないで」

これは、英国の桂冠詩人テニスンの詩の一節です。非業の死をとげた大統領の記憶をあなた方の心の中で、決して死なせないでとの切なる訴えです。

【字幕】ジム「示すのです、人民の、人民による、人民のための政治は健在だと」

これはかの第16代大統領リンカンの、奴隷解放演説の引用です。

ケネディー暗殺の真犯人はいまだに不明ですが、聖書は〝天の法廷〟―人類の究極の裁きの場があることを告げます。（新約聖書　ヨハネの黙示録20章）

これを信じればこそ、私たちは不条理だらけの世の中を生きていけるのです。

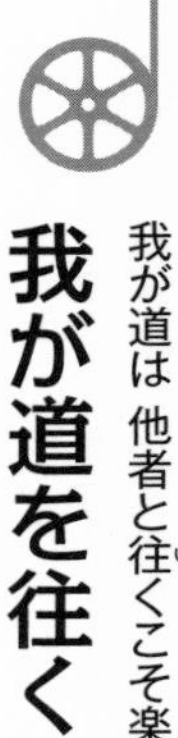

我が道を往く

我が道は 他者と往くこそ楽しけれ

（1946年・130分・モノクロ・アメリカ）

1944年製作、日本では終戦の翌1946年に公開されたアメリカ映画です。第17回アカデミー賞で作品賞、監督賞（レオ・マッケリー）、主演男優賞（ビング・クロスビー）、助演男優賞（バリー・フィッツジェラルド）、主題歌賞「星にスウィング」の他2賞と、その年最多の7部門で受賞しました。この作品は翌1945年に製作された「聖メリーの鐘」の続編ですが、続編の本作のほうが先に完成したという面白い結果になりました。

映画では、監督のレオ・マッケリーの抜擢で、歌手のビング・クロスビーが初めて主演。「ホワイト・クリスマス」で知られる、クルーナーと呼ばれる深みのある温かで甘い声を、この作品でも聴かせてくれます。主題曲「ゴーイング・マイ・ウエイ（Going My Way)」、アカデミー主題歌賞を取った「星にスウィング（Swing on a Star)」「アイルランドの子守歌（Too-Ra-Loo-Ra-Loo-Ral That's an Irish Lullaby)」、クラシックではグノーの「アヴエ・マリア」、カルメンの「ハバネラ」、「きよしこの夜」などが流れます。

映画は太平洋戦争が終盤に入り、いよいよ激しさを加えた１９４４年に製作されたにもかかわらず、〝戦争〟の影がみじんもないことに驚かされます。当時のアメリカは戦時体制下にあり、多くの若者が兵士として徴用され、日本はもちろんアメリカでも、プロパガンダ映画が多く製作された戦争一色の時代でした。だからこそマッケリー監督は人々が心の中で求め、憧れていた平和な時代の日常生活と、人と人の信頼関係や助け合いのヒューマニズムを描かなければと思ったのでしょう。その狙いは、神父オマリー（ビング・クロスビー）、老神父フィッツギボン（バリー・フィッツジェラルド）という二人の人物を通し、見事に成功しました。彼は人間が本来、神様から与えられた〝善意〟がどんなにすばらしいものかを、スクリーンに鮮やかに具象化してみせたのです。

ストーリー

セント・ドミニク教会は、ニューヨークの下町にある古い歴史を持つ教会。建物はすっかりガタがきている。若者たちのケンカが絶えない物騒な環境の中で行われる礼拝には、ほんのひと握りの老人たちが集うだけ。長年忠実に仕えてきた老神父フィッツギボンは、間もなくこの教会を去ることになっていて、若い副牧師オマリーが派遣されてきた。

彼は家主と老婆のケンカを仲裁し、街のギャングたちにステージショーの楽しみを教え、不良少年たちを教会に招いて少年合唱団を作る。幼友だちのオペラ歌手リンデンも教会の財政難を救ってくれ、明るい兆しが見え始めたある夜、教会が火事になり全焼。再建のめども立たないまま別の教区へ移ることになったオマリー。だがクリスマス・イヴの夜、一計を案じたリンデン率いる少年合唱団の活躍で、〝奇跡〟が起こる。オマリーもまた老神父に、最後のビッグプレゼントをする。老神父の生涯の夢、故郷アイルランドの母親を呼び寄せたのだ。涙で抱き合う二人を見ながら、彼は静かに新任地に去っていく。この親子の象徴のような「アイルランドの子守歌」を胸に――。

映画の原タイトル「Going My Way」と、その直訳日本タイトル「我が道を往く」がとてもいいですね。日本語タイトルの「ゆく」に一般的な「行く」ではなく、「往復」に使われる「往く」を用いたことも、主人公がいつか再び戻ってくることを思わせて含蓄（がんちく）に富んでいます。

タイトルに使われたこのことわざ「我が道を往く」は、自分の思うままに、周囲とは同調せず勝手な行動を取る生き方の悪い意味でも使われますが、この映画でビング・クロスビーが演じた主人公オマリーは、〝ひたすら他者の幸福のために生きる〟「我が道」を選んで行動しています。

もう一人の主人公ともいうべき老神父フィッツギボンも、劣悪な周囲の環境や危機に瀕(ひん)した経済状態の中で、年老いた故郷の母親を思いながら、自らの楽しみも持たず苦労して教会を支え、人々に仕える「我が道」を歩んできました。人が往くべき「我が道」とは独りよがりの道ではなく、実は悲喜こもごもの人生を背負った他者に寄り添い、「他者と共に往く道」です。その道があるからこそ、苦しいことの多い人生を最後まで歩く勇気も湧いてきます。

人種差別は人間の一級犯罪だ

それでも夜は明ける

（2014年・134分・アメリカ・イギリス）

オールドムービーが多い本書収録作品の中では比較的新しい作品で、2014年の第86回アカデミー賞の9部門でノミネートされ、うち作品賞、助演女優賞（パッツィ＝ルピタ・ニョンゴ）、脚色賞を受賞。作品賞は、アカデミー賞史上初の黒人監督（スティーヴ・マクィーン）によるものです。

これまでにも、黒人としての苦難と悲しみを描いた映画としてスティーヴン・スピルバーグ監督の名作「カラーパープル」や「マンディンゴ」「アミスタッド」「ハリエット」など数本ありますが、黒人の登場人物を黒人監督が描いたところに、この映画のユニークさと大きな価値があります。

この映画のもう一つの特徴は、映画製作会社プランBエンターテインメントの作品であることです。この会社は、2001年に俳優ブラッド・ピットら三人で設立されました。彼は長年俳優として、「セブン」「ファイト・クラブ」「オーシャンズ」シリーズなど娯楽的な作品から、「バベル」「ツリー・オブ・ライフ」「マネー・ショート 華麗なる大逆転」などの秀作までハリウッドの第一線で活躍してきましたが、このプランBの立ち上げにより、プロデューサー業に大きな比重を置くようになります。それまで大作中心だった作品から独自性のある作品、質の高い作品、社会的要素のある作品、政治的な作品など、人々の心に訴えかける作品を中心に手がけるようになりました。

その一つが人種問題（黒人奴隷）です。代表作に「それでも夜は明ける」と、その翌年に作られた、マーティン・ルーサー・キング牧師が主人公の「グローリー 明日への行進」があります。中でも彼が主演・製作した「それも夜は明ける」は、黒人監督スティーヴ・マクィーンと白人ブラッド・ピットの思いを一つにした鋭い社会意識と、虐げられた者への温かな視線を感じさせます。

ストーリー

南部の農園に売られた黒人ソロモン・ノーサップが、12年間の壮絶な奴隷生活を綴った伝記を映画化したヒューマンドラマ。1841年、奴隷制度が廃止される前のニューヨーク州サラトガ。自由証明書で認められた自由黒人で、白人の友人も多くいた黒人バイオリニストのソロモンは、愛する家族と共に幸せな生活を送っていたが、ある白人の裏切りによって拉致され、奴隷としてニューオーリンズの地へ売られてしまう。狂信的な選民主義者エップスら白人たちの容赦ない差別と暴力に苦しめられながらも、ソロモンは決して尊厳を失うことはない。やがて12年の歳月が流れたある日、ソロモンは奴隷制度撤廃を唱えるカナダ人労働者バス（ブラッド・ピット）と出会う――。

映画の見どころを、いくつか挙げてみましょう。
登場する白人たちは、キリスト教の牧師たちも含め、黒人差別とナチスのユダヤ人虐殺にもつながる誤った選民思想に毒されています。

【字幕】「あいつらは人間じゃない。〝商品〟だ」

同じ南部黒人が登場しても、「風と共に去りぬ」とは大きな違いで、こちらは縛り首、むち打ちシーンなどが、徹底したリアリズムで描かれます。

この映画はブラック版の映画「沈黙－サイレンス－」です。黒人プラット（ソロモン・ノーサップの奴隷名）が、同胞女性パッツィにむち打ちするシーンはさしずめ「踏み絵」でしょう。神はこの奴隷たちの苦しみに、なぜ沈黙しておられたのでしょうか？

黒人監督スティーヴ・マクィーンの目は、あくまで冷静です。2時間を超える映画は、終始ファナティックな盛り上がりを避け、19世紀後半の南部アメリカの白人農場主と黒人奴隷の主従の日常を、アメリカ南部の情景の映像美と共に淡々とじっくりと描き出します。

【エンド字幕】「ソロモンのように生き残って自由黒人に戻った例は極めて少ない」

彼の背後には、戻れなかった何十万何百万もの黒人たちの悲惨極まる歴史があります。それは彼らの血と汗と命の贖い（あがな）によって、今日の繁栄を勝ち取った大国アメリカの歴史の恥部であり、聖書の言う根源的な自己中心の〝罪〟なのです。ナチスに抹殺された約600万ものユダヤ人、スターリンに粛清された250万を超える人々も含め、歴史の終末の天の法廷では、神は人間の人種差別を、第一級犯罪として裁かれるのです。

覇気さえあれば、何歳になろうと明日はあるぞ

俺たちに明日はない

（1968年・112分・アメリカ）

1930年代の世界恐慌時代、実在の銀行強盗であるボニー・パーカー（フェイ・ダナウェイ）とクライド・バロー（ウォーレン・ベイティー）の出会いと壮絶な死に至るまでをアーサー・ペン監督が描いた犯罪映画で、セックス描写や暴力シーンなどで、アメリカン・ニューシネマの先駆的作品となりました。

とりわけラストシーンで、二人がわずか十数秒の間に87発もの銃弾を受け、その衝撃でまるでバレエダンスを踊るように飛び跳ねながら絶命するショッキングなスローモーション・シーンは、のちに「死のバレエ」と呼ばれ、ある種の映像美をさえ感じさせるものでした。ダナウェイが、車から落ちないように足をシフトレバーに固定して撮影したほどのすさまじさで、アーサー・ペンは、尊敬していた黒澤 明監督の「七人の侍」「椿三十郎」を手本にしたといいます。

この映画は1967年度のアカデミー賞では作品賞を含む10部門（作品賞、監督賞。主演男優賞、主演女優賞、助演男優賞（二人）、助演女優賞、脚本賞（二人）、撮影賞、衣装デザイン賞）にノミネート、そのうちエステル・パーソンズが助演女優賞を、バーネット・ガフィが撮影賞をそれぞれ受賞しました。日本では1968年度のキネマ旬報外国映画ベスト・テン第1位に選出されています。

主演のウォーレン・ベイティーは、この映画のプロデューサーとしてもデビューしましたが、ワーナーは最初、これをほんのB級作品としか考えておらず、彼に収益の40％も支払う破格の契約内容だったため、全世界的にヒットしたこの作品のおかげで彼は俳優としてはもちろん、一躍富豪にもなりました。フェイ・ダナウェイも、この映画でアカデミー主演女優賞にノミネートされて注目を浴び、共演したマイケル・J・ポラードと共に英国アカデミー賞の新人賞を受賞しました。

映画の原タイトルは主役の二人の名を取った「ボニーとクライド（Bonnie and Clyde）」ですが、この日本タイトルは、夢も希望もない暗黒時代に、自分たちなりの自由奔放な生き方を貫いて散った二人の若い男女の生きざまを端的に表しています。アーサー・ペン監督も、原題の陳腐さには不満で、この邦題を気に入っていたといいます。

外国映画の日本タイトルは、昨今では原語をカタカナにしたものがもはや主流になっています。観客の主流である若者が、意味は分からなくても言葉の響きのカッコよさを好むのと、逆に英語がかなり普及してきて、カタカナ語でもある程度意味が分かるようになってきたためでしょう。しかしこの映画の公開された半世紀前には、このような実にキャッチー（印象的）な日本タイトルがまだあったのです。

ストーリー

悪に染まった若者クライド・バロウは、刑務所を出所しばかりで早速食糧店の強盗を働く。ウェイトレスのボニー・パーカーは平凡な毎日にうんざりしていたが、目の前で鮮やかな強盗ぶりを見せたクライドとたちまち意気投合し、彼の強盗旅行に同行することを決心する。車を盗んだ二人は町から町へと銀行強盗を繰り返し、仲間を増やす。まず、ガソリンスタンドの店員C・W・モスを車の整備係に。加えて、クライドの兄バック（ジーン・ハックマン）と彼の妻ブランチも仲間入りする。ボニーとクライドの強盗団は「バロウズ・ギャング」として有名になり、貧しい銀行の客からは金を奪わないスタイルは「世界恐慌時代のロビン・フッド」としてもてはやされ、連日新聞をにぎわすようになる。
捜査の網をかいくぐり逃走を続ける強盗団はある日、テキサス・レンジャー（州公安局法執行官）の一人ヘイマーを捕らえて痛めつけたため、テキサス・レンジャーたちに襲撃され、バックとブランチは逮捕、ボニーとクライドは銃弾で負傷したままC・Wと共に逃走し、彼の父親であるアイヴァン・モスの農場に潜伏して傷の回復を待つ。だが、彼らにも最期の時が迫っていた——。

いつの時代にも、現実に対して不満を持ち、生きる希望を失って、非行に走る若者たちがいます。一方で、少子化の中で〝箱入り息子・娘〟として育てられ、社会に出ても体制従順で覇気のない若者もいます。ボニーとクライドの悪の人生を決して勧めることはできませんが、弱者はいじめず、権力にこびないその生き方は、ある種の爽やかささえ感じさせます。

人のために働くことほど、気持ちいいものはない

野のユリ

（１９６４年・94分・モノクロ・アメリカ）

社会派監督でテレビ出身のラルフ・ネルソンが１９６２年、カトリック作家ウィリアム・エドマンド・バレットが書いた同名のセミドキュメンタリー小説を基に翌年映画化したモノクロ低予算映画でしたが、公開されるとたちまち評判を呼び、１９６３年度アカデミー賞で作品賞、主演男優賞（シドニー・ポワチエ　黒人初）、助演女優賞（リリア・スカラ）、脚色賞（ジェイムズ・ポー）の４賞を獲得。２００１年の同賞では、シドニーが名誉賞を手にしました。

「野のユリ」というタイトルは、この映画の中でも語られるように、イエス・キリストが山上の教えで語られた言葉に由来しています（新約聖書　マタイの福音書６章28～30節）。野のユリはひっそりと野に咲き、見る者に何も求めません。そこに存在するだけで美しくて貴く、喜びと感動を与えてくれます。それは、異国の荒野で孤軍奮闘して頑張る修道女たちでもあり、シドニー扮するアメリカの若者ホーマーの善意のボランティア精神（キリスト教精神）の象徴です。混沌として自己の栄誉と権力と富を追求する現代に、監督ラルフ・ネルソンはメルヘンチックなこの作品で、私たちに「野のユリたれ」と静かに語りかけます。

音楽のジェリー・ゴールドスミスの手によって劇中さまざまな場面でアレンジされ、繰り返し歌われる「アーメン」は黒人のゴスペルソングですが、クリスチャンの祈りの最後にも唱えられる「アーメン」は「真実・その通り」という意味です。カトリックのシスターたちは「アーメン」の発音で、プロテスタントのホーマーは「エイメン」でイエスの復活を祝い、一緒に歌うシーンはなんとも楽しいものです。映画のエンドマークも、史上唯一「The End」ではなく、「Amen」なのです！

ストーリー

アメリカ中を車で気ままに旅していた黒人青年ホーマー・スミスが、アリゾナの砂漠の中で東ドイツから亡命してきたマリア院長たち五人の修道女に出会う。彼はラジエーター用の水を求めたばかりに、彼女たちのチャペル建設に〝タダ働き〟をさせられることになる。マリアは何ひとつないまま、この異郷の地に教会を建てるというビジョンを与えられ、その働き人が現れるのを固く信じて待っていたのだ。
最初は文句たらたらで働いているうちに、ホーマーは次第に彼女たちの純粋な信仰に打たれ、報いを求めずに働くことの快さに目覚めていく。やがて町の人々も資材を持ち寄って、チャペルは完成する。それは、ホーマーがそこを去る日でもあった。マリアは、彼に初めて「ありがとう」と言う。彼女が、初めて人に感謝した瞬間だった。ホーマーは、いつもと変わらず彼女たちに、英語の練習を兼ねて「アーメン」の歌を教えながら、その歌声の中を、院長の他には気づかれず一人静かに去っていく――。

この映画が作られた１９６３年のアメリカは選挙権、バスの座席、レストランでも差別され続けた黒人が公民権運動を活発化させていった時代です。東西冷戦の最中にキューバ危機が起こり、ヴェトナム戦争も本格化していく中、ケネディー大統領が暗殺されるというショッキングな事件も起きました。現在はさらに混迷を極め、21世紀になって民族間、宗教間での争いや世界的な不況、環境問題、エネルギー問題、さらにコロナ禍など問題は山積みです。

いつの世も罪に満ちて危うく不安だからこそ、人の心を癒やし、〝人間の善性〟を信じて生きていくことの大切さを、この映画は教えているようです。

この映画が教えるもう一つは、人間のエゴイズムは、他者の存在と能力を認め、感謝することで乗り越えられるということです。ホーマーは自分一人で教会を造り、ヒーローになりたかったのです。一方、シスター・マリアは神の栄光のためなら人の財、能力、時などは提供されて当たり前として、人間への感謝を置き忘れていました。しかし、ホーマーは皆と共にやりとげることでエゴを超え、シスターは決して言わなかった感謝の言葉を口にすることで、冷たさを超えます。

彼を変えたのは、①神のために持てるものをささげる無私の行為の尊さ、②遠く祖国を離れて、貧しくとも神に仕える修道女たちの自己犠牲の姿への感動、③助け合って神の教会を建て上げていく喜びを、肌で知ったことでした。

人は、他者のために働く喜びを知れば、自分だけのことを考える愚かさ、むなしさを思い知るようになります。

リッグズからマータフ「Where were you, man? You my partner or what? Why didn't you follow me down?」
リオからマータフ「Year, why didn't you follow him down?」
【原文直訳】
リッグズからマータフ「どこ行ってたんだ？　パートナーじゃないのか？　なんで続いて落ちないんだ？」
リオからマータフ「そうだよ。なんで彼に続いて落ちないんだ？」
【原訳者訳】
リッグズからマータフ「遅いぞ何してたんだ？」
リオからマータフ「遅いよ」
→これはまともすぎて、ユーモアがありません。
【小川訳】
リッグズからマータフ「パートナーだろ？　一緒に落ちろ！」
リオからマータフ「そうだよ！」
→相棒なら一蓮托生と、リッグズがマータフに無理難題を言うジョークです。

◆エッチさを出す、クサいユーモア

リッグズが、マータフの自宅トイレに仕掛けられた爆弾を調べようとマータフの座っている便器の下をのぞき込んでいると、そこに入って来た女性カウンセラーが二人を見て、「さてはエッチ中？」と勘繰るシーンです。

女性カウンセラー「I should've known when there was one, there was the other.」

【原文直訳】

「一人がいるところにはもう一人もいると、知っとくべきだったわ」

【原訳者訳】

「あんたたち、コンビだったわね」
→ユーモアはありませんね。
【小川訳】

「トイレも一緒の仲だったわね」
→固い友情の二人は、トイレに入るのも一緒か、というからかいです。

訳者によって変わるセリフ

◆字幕のうまさはジョークで決まる

アメリカ映画のジョークはほとんどが言葉遊びで、ダブルミーニング（同じ言葉に二重の意味を持たせる）も多く、限られた字数で笑いを取るには知恵を絞らなければなりません。

第四章で紹介する「リーサルウェポン2」から、劇場用翻訳者の訳と、私の手直し訳を比較しながらお楽しみください。

◆ダブルミーニングの面白さ

敵の重要参考人リオ・ゲッツが敵に暗殺されないようホテルにかくまわれています。そこにマータフとリッグズの刑事コンビが来ます。ゲッツはお得意の初対面の挨拶で二人の笑いを取ろうと……。

リオ・ゲッツ「Whatever you need, Leo gets. Got it?」

【原文直訳】

「あんたが必要なものは、何でもリオが手に入れます。このジョーク、分かる?」

【原訳者訳】「何でも承知のリオ・ゲッツ」

→ダブルミーニングが出ておらず、意味も不明瞭です。

【小川訳】「“ご入り用ならリオ・ゲッツ”」

→これは彼の名前ゲッツと、「手に入れる（ゲット）」の3人称が同じ「ゲッツ」なのを生かしたジョークです。十八番ジョークなので、慣用句扱いで引用符で囲みます。“ゲット”が日本語化したのでゲッツのままで、掛け言葉を表すルビ点を振ります。

◆無理難題を言うおかしさ

ホテルに侵入した敵の銃撃を逃れ、リッグズ、リオは7階窓から下のプールへ落下して命拾い。そこへマータフが階段で降りてきます。

第三章

この世は、小さな奇跡に満ちている

小さな奇跡の積み重ねが、大きな希望となる

「奇跡」、英語で言えば「ミラクル（miracle）」は辞書を引くまでもなく、「常識で考えては起こり得ない不思議な出来事」をいいます。特にキリスト教では、神の超自然的な働きによって起こる不思議な現象を指し、聖書の中にもしばしば登場しますが、人間がこの目で見ることのできる最高最大の奇跡は宇宙と地球、そして人類の誕生です。これに異を唱える人はいないでしょう。

けれど、「奇跡」はキリスト教をはじめとする宗教の専売特許ではありません。奇跡は、私たちの日常生活の中にもあるものだからです。たとえば常識では絶対に助からない病気が文字通り〝奇跡的〟に癒やされるなど、誰の目にも客観的に明らかな場合もありますが、他の人は特に気づかなくてもその人にとって奇跡と思える出来事もあります。つまり、〝主観的な奇跡〟です。人生は、その人が「奇跡」と感じることが多くなればなるほど楽しく、美しく、すばらしいものになっていくのです。

「どこが奇跡なんだろう?」と思われる作品があるかもしれません。第三章で紹介する9本のうち、「シティ・オブ・エンジェル」は明らかにファンタジーです。天使が人間になるというストーリーは、私たちの人生の中では起こりません。「グリーンマイル」の大男の超能力もフィクションです。残りの7本はどうでしょう。「タイタニック」「戦場のピアニスト」「アメイジング・グレイス」「炎のランナー」は史実が基になっていますが、それがフィクションかどうかは、実は問題ではありません。そこに描かれた〝愛、友情、信念、克己と努力〟などが普通なら起こり得ないところで現される時、それは静かな忘れられない感動となって、観る者の心に残るのです。

60年を超える人生を生きてくると、その時は偶然と思えた多くの出来事が実は小さな「奇跡」だったことに気づきます。その気づきの度合いは、これからの人生でさらに深まっていき、より小さなものにも向けられていきます。道端にそっと咲く小さな花にも、命の奇跡を見るようになります。人生は小さな奇跡に満ちています。それが、私たちに残された日々の〝生きる希望〟になるのです。

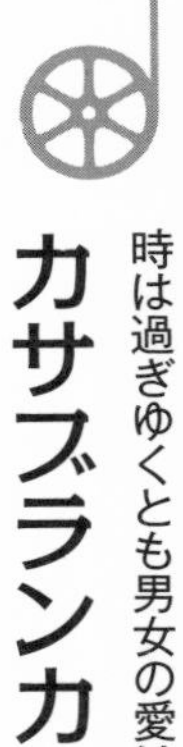

時は過ぎゆくとも男女の愛は変わらない

カサブランカ

（1946年・102分・モノクロ・アメリカ）

戦後、CMPE（Central Motion Picture Exchange ＝占領下の日本で、外国映画各社の輸入映画を一括管理し、配給した団体）によって配給されたワーナー映画第1号です。製作は1942年ですが、日本ではその4年後、敗戦の翌年1946年6月20日に公開されました。監督マイケル・カーティズ、主演ハンフリー・ボガートとイングリッド・バーグマン、主題曲は「時の過ぎ行くままに（As Time Goes By）」のモノクロ映画です。1943年の第16回アカデミー賞で作品賞、監督賞、脚本賞（3人共作）をものにしました。

ストーリー

第二次大戦2年目の1941年12月、フランス領モロッコの都市カサブランカは親（しん）ドイツのヴィシー政権が統治していた。アメリカ人のリック（ハンフリー・ボガート）はある日、自分の経営する酒場に姿を見せた女性を見て驚く。彼女の名はイルザ・ラント（イングリッド・バーグマン）。パリ陥落の前に理由も告げずに消えた恋人だったが、今は、チェコスロバキア人のドイツ抵抗運動の指導者ヴィクトル・ラズロ（ポール・ヘンリード）と結婚していた。二人は現地のオルグ（組織拡充のための派遣宣伝活動員）の援助で、アメリカへの脱出のチャンスを狙っていた。親ドイツ政権下でレジスタンスを追う身のフランス植民地警察署長ルノー（クロード・レインズ）は、異教の地で自由を守ろうとするリックを助けようと思い、ラズロとは距離を置くよう警告する。

夫の脱出を助けたいイルザは、リックに必死の協力を頼む。闇屋のウーガーテ（ピーター・ローレ）からヴィシー政権発行の通行証を譲り受けた実績のある彼が、頼みの綱なのだ。だが、協力に応じない彼にイルザは銃口さえ向けるが、今も彼を愛する彼女は引き金を引けない。その夜、二人の愛は再び燃え上がる。

リックは、ラズロ夫妻が通行証を欲しがっていることをルノー署長に知らせ、与えると見せかけてラズロを逮捕するよう入れ知恵する。だがリックの本心は、二人を亡命させることだった。空港で別れたら、おそらくイルザとは二度と会えないが、彼女への愛のゆえにこの夫婦を逃がすことで、〝自由を守る〟という自らの大義に殉じようとしたのだ。

離陸する飛行機の待つ宵闇の中に消えていく二人の姿をリックは一人、万感の思いで見送るのだった――。

この戦時下の悲しい恋の物語は、3年半にわたる戦争で外国映画に飢え渇いていた日本人の心の中に、恋する二人の男女の心のひだを表すシャレたセリフと甘い主題歌で、強烈な印象を残しました。

ではそのシャレたセリフの一つを。再会した酒場での、理由も言わずに去っていった女性への恨みをちょっぴり込めたような、ボギーことボガートのしびれる低音でイルザをじらすリックの答えの憎いこと。

【字幕】イルザ「昨夜はどこに?」　リック「そんな昔のことは忘れた」
　　　　イルザ「今夜会える?」　リック「そんな先のことは分からない」

極め付けは、リックが別れのつらさに大きく見開いたつぶらな目を潤ませるイルザに言うこのひと言です。

【字幕】リック「君の瞳に乾杯」

字幕翻訳界の御大高瀬鎮夫さんの永遠の名訳です。

もう一つ、この映画を語る時に欠かせないのは主題曲です。「As Time Goes By」は、この映画の中でドゥーリー・ウィルソンという黒人俳優が扮するサムがカフェのピアノを弾きながら歌うのですが、その日本語タイトル「時の過ぎゆくままに」は、正確には誤訳です。「as」にはいろんな意味がありますが、歌詞の意味内容をよく吟味しないままにこう訳されたようです。正しくは、「時は過ぎゆくとしても」です。〝男女の愛は時が過ぎゆくとも変わらない〟の意ですね。ではそのことを、次の小川政弘訳でご納得いただきましょうか。

「As Time Goes By」
You must remember this
A kiss is still a kiss
A sigh is just a sigh

「時は過ぎゆくとも」
忘れちゃいけないよ
キスはキス
ため息は　ため息

The fundamental things apply
As time goes by

恋の基本は変わらない
たとえ時は過ぎてもね

And when two lovers woo
They still say, I love you
On that you can rely
No matter what the future brings
As time goes by

恋人同士のキメ言葉は
やっぱり「愛してる」さ
それを信じるんだ
たとえ時が流れ
未来がどう変わろうとも

Moonlight and love songs never out of date
Hearts full of passion, jealousy and hate
Woman needs man
and man must have his mate
That no one can deny

月の光と恋歌は決して色あせない
情熱と嫉妬と憎しみいっぱいの心も
男あっての女
女あっての男なんだ
誰が違うと言える？

It's still the same old story
A fight for love and glory
A case of do or die
The world will always welcome lovers
As time goes by

昔から聞き古したお話さ
愛と栄光を懸けた闘い
やるかやられるかの正念場
この世は〝恋人たち〟を待ってるんだ
たとえ時は過ぎてもね

男女の愛の在り方、特に男性が今は他人の妻となった女性を心から愛するゆえに、彼女を奪って夫婦仲・家庭をぶち壊すインモラルの誘惑を断ち切り、夫婦二人を自由の地に逃すために命を懸ける姿は実にカッコいいだけでなく、聖書にある神から出たまことの愛の基準をも満たすものです。

「愛は寛容であり、愛は親切です。…礼儀に反することをせず、自分の利益を求めず、…全てを耐え、すべてを信じ、すべてを望み、すべてを忍びます。…愛は決して絶えることがありません。」（新約聖書　コリント人への手紙第一13章抜粋）

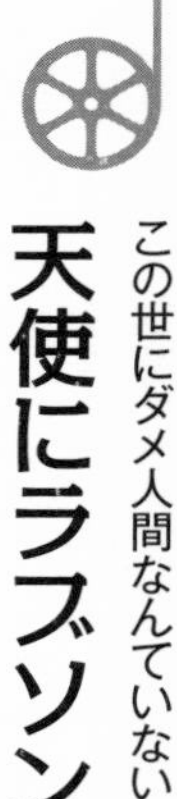

この世にダメ人間なんていない

天使にラブソングを…

（1993年・100分・アメリカ）

筆者がワーナー・ブラザースに勤めていた46年半の間には、本家のワーナーの他に、いくつかのプロダクションの作品も配給しました。小さい会社が多かったのですが、その中で、なんとライバルでもあるメジャーのウォルト・ディズニー社の作品を、2年間配給することになりました。その中の1本が、この「天使にラブソングを…」でした。監督はエミール・アルドリーノです。

映画の日本タイトルもシャレていています。意味としては、映画に登場する修道女たちを天使に見立て、「天使にラブソングを歌わせたら、こんなにステキよ」ということでしょうが、英語の原題は「Sister Act」です。この「Sister」は「姉妹」ではなく、「修道女＝シスター」のこと。「Act」は、この映画では二つの意味をかけていて、一つはショーなどで上演される「演目」（この映画ではゴスペルの曲目）のこと。もう一つは、動詞で「演じる・

装う・ふりをする」という意味。つまり主人公のデロリス（ウーピー・ゴールドバーグ）が、ギャングから命を守るため、修道女のふりをすることなのです。

この映画、アメリカでは公開期間6カ月を記録する大ヒットとなり、「カラーパープル」で注目されたウーピー・ゴールドバーグはこの歌唱力で人気を不動のものにし、翌年には舞台をデロリスの母校の高校に移して続編も作られ、２０２３年には、30年ぶりで第3作が製作される予定です。今回もデロリスを演じる、67歳のウーピーの活躍も観てみたいものですね。

ストーリー

殺人事件の現場を目撃した、しがない黒人の女性クラブ歌手デロリスが犯罪組織に命を狙われて修道院に逃げ込み、裁判の日までかくまわれることに。厳格さで知られる修道院長（マギー・スミス）は彼女を修道女の卵と信じて特訓するが、もともと下町で育った彼女が一朝一夕で聖女になれるはずもなく、全く効果なし。しかし、彼女の歌の才能を見抜いた修道院長に聖歌隊の指揮を任されたところから全く新しい人生が開き、彼女は精気のなかった聖歌隊を見事なゴスペルクワイアに鍛え上げていく――。

この映画は、底辺世界に住む主人公が、それまでとは天と地ほども次元の違う生活を送ることになって巻き起こす騒動がことごとく笑いを誘うミュージカル・コメディーですが、そのような劇的環境の変化は時として私たちの人生にも起こることで、自分がそうなったら？と考えさせられます。

「ダメ人間が生まれ変わる」のは映画を面白くする要素の最たるもので、落ちこぼれの若者が頼れる警官に鍛え上げられる「ポリス・アカデミー」シリーズなどもそうでした。加えて、何の取り柄もないと思っていた自分の内に隠れていた才能が、ふとしたきっかけで見事に開花していく様子は、見ている観客の私たちにも、「ひょっとしたら自分にも……」と勇気を与えます。それには、この映画の修道院長のような〝人を生かす〟優れたリーダーの存在が不可欠です。

人を見かけや失敗で判断せず、忍耐を持って導き、たとえ自分の主義とは違っても、その人の良さを伸ばしてあげるリーダーが今、国にも、社会にも、企業にも、学校にも、本当に求められていると思います。

この映画のもう一つの魅力は、なんといってもゴスペルです。デロリスは聖歌隊を、格調ある美しい賛美歌の出だしから、途中でパンチのある力あふれるゴスペルに変身させます。長い間眠っていた年配の信者たちの目が開かれ、教会など寄り付きもしなかった街の若者たちが入って来、観ている人も思わず手足を鳴らしたくなります。「おおハッピーデー」「おおマリア」「ヘイル・ホーリー・クイーン」、ラストは、評判を聞いたローマ教皇の列席のもとで歌う「アイ・ウィル・フォロー・ヒム（イエス・キリスト）」。全聴衆が熱狂の中、教皇まで立ち上がって手拍子を取るハッピーエンドで幕を閉じます（これは、かのヘンデルが作曲した「メサイヤ」の初演で、ラストの「ハレルヤコーラス」まで来た時、国王ジョージ二世が、感動のあまり思わず立ち上がったという故事のパクリでしょう）。

賛美のあるところに神様もおられます。ゴスペルを歌うと神様を肌で感じます。あなたも一度、教会を訪れて神様を力いっぱい〝賛美〟してみませんか？

「主を喜ぶことは、あなたがたの力だからだ。」（旧約聖書　ネヘミヤ記8章10節）

短くも美しく燃えた恋の炎は、熾火も美しい

マディソン郡の橋

（1995年・134分・アメリカ）

1992年発売のロバート・ジェイムズ・ウォラーの同名ベストセラー小説を原作にしたラブロマンス映画で、米国アイオワ州の片田舎で出会った平凡な主婦フランチェスカ・ジョンソンとナショナル・ジオグラフィック社の中年のカメラマン、ロバート・キンケイドの4日間の恋を描いたものです。クリント・イーストウッドが製作（キャスリーン・ケネディーと共同）、監督、主演（ロバート・キンケイド）、メリル・ストリープがお相手のフランチェスカを演じました。彼女はその演技で1996年の第68回アカデミー賞でアカデミー主演女優賞にノミネート。全編に流れるレニー・ニーハウスの静かなピアノ曲も、心に残ります。

ストーリー

1989年の冬、母の葬儀のために集まった長男のマイケルと妹のキャロリンが、彼女の遺書とノートを読み始める。遺書には、「私の愛したロバートと一つになるため、私を火葬にしてローズマン橋から遺灰を撒(ま)いてほしい」と書かれており、二人は平凡だと思われていた母親の秘められた恋を初めて知る。

1965年の秋。小さな農場の主婦フランチェスカ・ジョンソンは、結婚15年目の単調な日々を送っていた。ある日、夫リチャードと二人の子どもたちが子牛の品評会のため隣州へ出かけ、彼女は4日間、一人きりで過ごすことになった。

そこに一人の男性が現れ、道を尋ねる。屋根付きのローズマン橋を撮りにやってきたナショナル・ジオグラフィックのカメラマン、ロバート・キンケイドだった。手持ち無沙汰だったフランチェスカは彼を橋まで案内すると、彼はお礼に土手に咲く花を摘んで差し出す。

【字幕】ロバート「感謝のしるしに花なんて時代遅れかな?」
フランチェスカ「いいえ。毒草だけど」(ロバート、思わず花を落とす)
「冗談よ」(笑い転げる彼女)

その日から二人の仲は急速に縮まり、街でデートをし、許されないと知りつつ恋に落ちていく。彼を夕食に招待した彼女は、食事が終わるとロバートに街で買ってもらった青いドレスを着て、2階から降りて来る。その美しい姿に声もなく立ち尽くすロバート。

【字幕】フランチェスカ「どうかした?」
ロバート「息をのんだよ。失礼だったかな。男なら感極まってうめき回る」

彼がチューニングしたラジオのムードソングに乗って二人は踊り、結ばれる。夢の4日間はあっという間に終わり、明日は夫たちが帰って来るという最後の夜、「一緒に来てくれ」と誘う彼に彼女が懇願する。

【字幕】フランチェスカ「別れの時はあなたが決めて。私にはとても」
ロバート「一度だけ言う。初めての言葉だが、これは生涯に一度の確かな愛だ」

家族を思い苦しげな彼女を見たロバートは、一人、彼女の家をあとにした。
数日後、リチャードと共に街に出かけたフランチェスカは雨の中、彼女を見つめ立ち尽くすロバートの姿を見る。彼女は、彼の元へ行こうとするが、やっとの思いで踏みとどまる。
何年かのち、彼の弁護士から遺品が届く。そこには、手紙や彼女が彼に手渡したネックレスと共に、「永遠の4日間」という写真集が入っている。フランチェスカのノートの最後は、こう締めくくられていた。

【字幕】フランチェスカ「老女のたわ言ではないのです。私の一生は家族にささげました。この身の残りは彼にささげたいのです」

兄妹はようやく母の遺志を理解する。後日、二人の手によって、彼女の遺灰は先に撒かれたロバートの待つローズマン橋の上から撒かれた——。

この作品は、ひとことで片づければ、〝不倫映画〟です。でも、観た人はなぜか大切な宝石を目にし、まるで自分の物のようにいつまでも取っておきたい気持ちにさせられます。それは、二人の束の間の愛が真面目なものであったこと。最後の瞬間に、彼女の妻、また母としての分別が、その後の破局を救ったことからです。だからこそ二人の子どもたちも、それまで想像もしなかった愛に燃えた女としての母を理解し、許せたのです。そこには、あるいは全てを知りながら赦していた夫リチャードの、さらに大きな愛があったのでしょう。

愛とは、その人のために全てを捨てても後悔しないこと

シティ・オブ・エンジェル

（1998年・114分・アメリカ）

1987年にフランス・西ドイツ合作映画として作られた「ベルリン・天使の詩（うた）」のリメイクで、監督ブラッド・シルバーリングの手によって作られました。舞台はベルリンからアメリカのロサンゼルスに変わり、それが映画のタイトルにもなっています。すなわち、「ロサンゼルス」は「ロス・アンジェルス」（スペイン語で〝天使たち〟）で、この町には天使たちが住むという言い伝えから町の名になり、映画には、タイトルにふさわしく大勢の天使たちが登場します。

天使と人間の恋愛ファンタジーですが、「あり得ない」と敬遠してはもったいない作品です。

外科医マギーは目に見える世界しか信じられなかったのが、手術の失敗という不可抗力的な出来事を通し、見えない世界の存在に気づいていきます。彼女はある意味、この世界に生きる全ての人間の代表です。彼女がどのように〝証〟の世界から〝信〟の世界に目が開かれていくかというプロセスは、クリスチャンなくても大いに興味のあるところです。

物語は、それまで一度も患者を死なせることなく救ってきたマギー（メグ・ライアン）が、不測の術後事故で初めて患者を死なせてしまい、その彼女をいとおしく思った天使セス（ニコラス・ケイジ）がどうしたら彼女の愛を勝ち取れるかと思い悩み、後半、ついに一大決心をするところから急展開のラストに向かいます。この映画は、絶えず〝死〟と隣り合わせに生きている私たちにとって、一度は考えてみなければならない大切な真理を教えてくれます。

●〝死〟を支配する闇の世の存在

この医療事故で、すっかり自信を失ったマギーは問います。

> 【字幕】マギー「医者は患者の命を救うため闘うんでしょ？　でも闘う相手は誰？」

これは、医学的処置では万全だった患者が死んだことによって、彼女が初めて〝見えざる世界〟を考えるようになったことを示す重要なセリフです。直接的な相手は〝死〟ですが、彼女は医学の限界を超えて人間に死をもたらす〝闇の世界の絶対的な主権者の存在〟に初めて気づいたのです。それは、サタン（悪魔）です。

●神の与えられた〝自由意志〟の力

神は被造物（天使、人間他）に〝自由意志〟を与えました。映画に、陽気で無類の人間好きなレストランの店主メッシンジャーが登場しますが、彼はセスに、自分のミスに意気消沈するマギーを救うための〝秘策〟を授けます。それがこの自由意志を働かせて、人間になるということでした。実は彼自身が、この自由意志を働かせて天から落ち、人間になった元天使だったのです。彼は旧約聖書イザヤ書14章12～15節に出てくる、天から落ちて悪魔になった堕天使の〝善良型〟モデルなのです。

神はご自身と同じ自由意志を持つ者として、人間を創られました。人間はその自由意志で、神のように賢くなろうとして罪を犯しましたが、またそれを正しく用いて自分の意志で神を信じ、神のもとに帰ることもできるのです。

●愛は失うことを恐れない

セスはメッシンジャーの勧めに従って、セスへの愛のゆえに自ら天から落ちました。五感を持ち、落ちた傷の痛みも分かる人間になったのです。人間大好きで天使を捨てたメッシンジャーと違って、彼は純粋に一人の女性への〝愛〟のゆえにこの道を選びました。そのために天使としての数々の特権を失うことも恐れませんでした。そして、湖畔の別荘で、初めて彼女の体に触れ、たとえ一瞬でも、彼女と身も心も一つになりましたが、そのあとにはあまりにも大きな悲劇が待っていました。でも、彼は決して自分の行為を後悔せず、その〝一瞬の愛の感触〟を胸に、人間として生きていく決心をします。

セスの愛は、キリストを人としてこの世に送られた神の愛のモデルです。キリスト教・聖書の中心メッセージは、「人間を創造した神は、人間に対する愛のゆえに、ご自分のただ一人のみ子イエス・キリストを、人間としてこの世に送られた。キリストは人間としての痛み、苦しみを全て味わい、最後には生きとし生ける者全ての罪を負って十字架の上で命を捨てられた。このお方を信じれば救われる」というものです。聖書は言います。「愛には恐れがありません。全き愛は恐れを締め出します。」（新約聖書　ヨハネの手紙第一4章18節）

タイタニック

良きことも悪しきことも含め、人生は〝贈り物〟

（1997年・194分・アメリカ）

史実にフィクションを交え、ジェイムズ・キャメロンが監督・脚本・共同製作・共同編集した、レオナルド・ディカプリオ、ケイト・ウィンスレット主演で、未曾有(みぞう)の海洋災害の中での愛を描いた長編ロマンス作品です。1912年、処女航海で沈没したタイタニック号が映画の舞台で、舳先(へさき)に手を広げて立つ若い二人の姿が話題になりました。

興行面でも大ヒットを記録し、2億ドルの製作費に対し、全世界での興行収入は現在まで約22億ドルに達し、同監督の「アバター」に次いで20億ドル超えの作品4位。2023年2月にリマスター版が公開されました。

1998年のアカデミー賞では14部門ノミネート（1950年の「イヴの総て」と並ぶ最多ノミネート）、その中で作品賞、監督賞、撮影賞、美術賞、主題歌賞、音楽賞、衣裳デザイン賞、視覚効果賞、音響効果賞、音響賞、編集賞の11部門で受賞、最多受賞の「ベン・ハー」（1959年）に並びました。セリーヌ・ディオンが歌う主題歌「マイ・ハート・ウィル・ゴー・オン」も大ヒットしました。

ストーリー

現代。1500人の乗客と共に北大西洋3773メートルの深海に眠るタイタニック号の引き上げ作業が行われていたが、船内の金庫から見つかったのは、若い女性を描いた一枚の絵だけだった。その女性が裸の胸に身に着けていたのが「碧洋（へきよう）のハート」。この模様をテレビで観た100歳の女性ローズ・カルバートが、孫娘のリジーと共に現場を訪れる。彼女はタイタニック号事故の生存者で、問題の絵のモデルだという。悲劇の航海の模様が、ローズの口から語られていく。

1912年4月。イギリスのサザンプトン港から処女航海に出ようとするタイタニック号に、賭けに勝って手に入れたチケットで、三等船室に乗り込んだ画家志望の青年ジャック（レオナルド・ディカプリオ）がいた。17歳のローズ（ケイト・ウィンスレット）は上流階級のアメリカ人で、大資産家で婚約者のキャル、ローズの結婚を強引に決めた母親ルースらと一緒に一等船室に乗る。たまたまローズがキャルとの婚約を拒んで船の舳先から飛び降りようとしたのを助けたジャックは、ローズの家族から食事の招待を受けたことで、二人は激しい恋に落ちる。

家族から逃れて二人だけで過ごし、ジャックはローズをモデルにデッサン画を描き、そして結ばれる。ローズの心が自分から離れたのを知ったキャルは、ジャックにダイヤ「碧洋のハート」を盗んだと濡れ衣を着せ、彼に手錠をかけて船室に閉じ込める。

深夜、船は氷山に船体を傷つけられ、停船した。浸水が始まり救命ボートが降ろされるが、数が足りないため女性と子どもが優先してボートに乗せられた。船底のジャック救出を優先したローズは、船が沈むと海上に浮かび上がり、運よく見つけたジャックと共に船の残骸の木切れにつかまって冷たい海の中、救出を待つ。だが救命ボートが戻ってきた時、すでにジャックは凍死していた。ローズは最後の力を振り絞り救助を求め、救出される。

再び現代。全てを語り終えた老女ローズは、こっそりと隠し持っていた想い出の「碧洋のハート」を海に投げ入れた。そして、心の中でジャックとの再会を思い描きながら、静かに床に就く――。

貧乏画家のジャックは、富豪の令嬢ローズの愛を得て、こう言います。

【字幕】ジャック「人生は贈り物だ。何があるか分からない」

本当に、何があるか分からないのが人生です。そして天災やこのような大きな事故が起こった時に、人間の本性が現れます。喜びの頂点からよもやの沈没事故に遭遇した彼は、最後には彼女をドアの破片に乗せ、自らは摂氏2度の極寒の海に浸かったまま命を落とします。彼は愛する者のために死ぬという運命をも、〝贈り物〟として受け入れたのです。

彼だけではありません。この沈没による死者1509人の内訳は男性1339人、女性114人、子ども56人です。これは、乗客の一人ジョン・ハーパー牧師の勧めに従って、多くの男性やクリスチャンたちが女性、子ども、未信者たちを優先的にボートに乗せた結果です。弱者救助優先と信仰者は天国に行けるという、クリスチャン精神の表れでした。

映画のラスト、人々の恐怖を和らげるため、甲板で最後まで賛美歌「主よみもとに近づかん」を演奏したバンドの姿も忘れられません。人生の悲劇は、命を捨てて人を救う人間の魂の美しさをも、ひときわ輝かせてくれます。それは、最後まで「神様！」と呼び求めた人々への神の贈り物でした。

音楽は敵意を超える愛のメッセージ

戦場のピアニスト

（2003年・150分・フランスドイツ・ポーランド・イギリス）

第二次世界大戦中、ナチス・ドイツの侵攻によっていち早く戦場となったポーランド・ワルシャワを舞台にした、主人公のユダヤ系ポーランド人ピアニスト、ウワディスワフ・シュピルマンの体験小説（1946年刊）を、ロマン・ポランスキーの製作・脚色・監督で映像化した2時間半のヒューマン戦争ドラマです。

2003年度のアカデミー賞では7部門にノミネートされ、うち監督賞（ロマン・ポランスキー）、脚色賞（ロナルド・ハーウッド、ロマン・ポランスキー）、主演男優賞（エイドリアン・ブロディー）の3部門で受賞しました。カンヌ映画祭では最高賞であるパルムドールを受賞しています。

ストーリー

1939年9月、第二次世界大戦が勃発し、ナチス・ドイツはポーランド侵攻を開始、ユダヤ人ピアニストのシュピルマンが働いていたラジオ局は、ドイツ空軍による突然の爆撃で被害を受ける。脱出したシュピルマンは友人ユーレクの妹ドロタと出会う。ワルシャワはドイツ軍に占領され、親衛隊と秩序警察による過激な弾圧によって、ユダヤ人の生活は悪化していく。1940年後半には、ユダヤ人たちはワルシャワ・ゲットーに押し込められ、飢餓と死の恐怖の中に突き落とされた。

ある日、シュピルマンとその家族は他のユダヤ人と共に親衛隊の命令で財産を取り上げられ、絶滅収容所行きの家畜用列車に乗せられるが、シュピルマンだけは知り合いのゲットー警察署長ヘラーに救われ、確実な死からは免れる。

一人残された彼の運命は生死のはざまで過酷を極めるが、ドロタとその夫のミルカ、知人女性ヤニナとその夫アンジェイらの助けによってゲットーを脱出、ゲットーの蜂起にも加わることもなく命をつなぐ。

1944年8月、ポーランド人の抵抗勢力によるワルシャワ蜂起。シュピルマンは今回も隠れ家の窓越しに事態の推移を見守るが、この蜂起もまたナチス・ドイツに鎮圧され、ワルシャワは瓦礫(がれき)の山になり、シュピルマンは孤立無援となる。

ある日、廃墟の中に立つ一軒家で食べ物をあさっていたシュピルマンは、「ＯＧＯＲＫＩ」というポーランドのピクルスの缶詰を発見。ほどなくやって来た、ドイツ陸軍将校ヴィルム・ホーゼンフェルトの弾くピアノソナタの旋律を耳にする。夜になり何とか缶を開けようと悪戦苦闘していた彼は、運転兵だけを伴い再びやって来たホーゼンフェルトと遭遇。彼はシュピルマンの素性を尋ね、ユダヤ人ピアニストと知るや1階の居間に残されていたピアノを弾くことを促す。彼が数年ぶりに弾くショパンのバラード第1番が廃墟の街に流れる。その見事なピアノの腕前に感服したホーゼンフェルトは、彼に食料と缶切りを差し入れる。

ソ連軍の砲声が迫り、ホーゼンフェルトはシュピルマンの名を尋ね、自分のオーバーコートと食料を渡して撤退。シュピルマンの逃亡生活はようやく終わりを告げる。

終戦後、彼は郊外を訪れ、ソ連軍に捕らえられたドイツ軍将兵の中に「シュピルマンを助けた」と主張する男がいたことを知る。シュピルマンが演奏する大ポロネーズが流れる中、「ホーゼンフェルトは1952年にソ連の強制収容先で死去、シュピルマンは2000年に88歳で死去」の字幕と共に映画は終わる――。

戦争は、多くの生と死のドラマを生み出しますが、この物語は、さしずめ〝泥沼の中に咲いた一輪の蓮(はす)〟を思わせます。状況が悲惨であればあるほど、人間の魂の美しさは輝きを増すのです。一面、〝死〟に覆われた地獄の中で、シュピルマンが生き残ったのはある意味で〝奇跡〟ですが、それをもたらしたものがいくつかありました。

一つは人々の善意です。同じユダヤ人だけでなく、ドイツ人のゲットー警察署長ヘラーや映画後半のホーゼンフェルト大尉の善意と援助です。大尉の悲劇は、シュピルマンの名は聞いたのに、自分の名を知らせなかったことにありました。

もう一つは音楽の力です。音楽は国境を超え、敵意を超えます。ドイツ人にはクラシック好きの人が多いといわれますが、自らもピアノをたしなむホーゼンフェルトは、シュピルマンの並々ならぬ力量を即座に見抜き、その命を惜しみ、厳寒の中を生き延びるに必要な食料だけでなく、コートをさえ与えたのです。彼は敗戦7年後、救出されることなくソ連の収容所で死にますが、死の間際まで一人の天賦あるピアニストを救ったことが彼の魂の救いだったのはないでしょうか。

あらゆる変革はまず〝自己変革〟から

アメイジング・グレイス

（2011年・118分・イギリス・アメリカ）

このタイトルを聞くと、今はすっかりポピュラーになったアメリカのゴスペルの名曲を思い出しますね。この名曲誕生の陰には、作者ジョン・ニュートンが奴隷船で遭遇した嵐で生死の境をさまよう中、奴隷売買の罪を悔い改め、涙の中で作り上げたという誕生秘話があります。ですが、この映画はその話ではなく、イギリスの奴隷解放の物語です。彼自身はこの曲と共に何回か登場しますが、この曲が大バンドのバグパイプの音色で荘厳に演奏されるラストは圧巻です。

奴隷制、奴隷貿易と聞くと、19世紀アメリカのリンカンの奴隷解放宣言を思い出しますが、この映画はその1世紀前、18世紀のイギリスを舞台に、20年以上の歳月をかけて奴隷貿易廃止に尽力した政治家ウィリアム・ウィルバーフォースの人生を描いた映画です。

監督は「アガサ　愛の失踪事件」「歌え！　ロレッタ愛のために」「愛は霧のかなたに」

「007 ワールド・イズ・ノット・イナフ」「エニグマ」「ナルニア国物語　第3章：アスラン王と魔法の島」などで知られる マイケル・アプテッド。製作にはエドワード・R・プレスマンと共に、「天国の日々」「シン・レッド・ライン」「ツリー・オブ・ライフ」「名もなき生涯」のテレンス・マリックが名を連ねています。

ストーリー

主人公の政治家ウィリアム・ウィルバーフォースが20年の歳月をかけて、奴隷廃止法案を勝ち取るまでの感動実話。若くして政治家となったウィルバーフォース（ヨアン・グリフィズ）と、彼と同じ志を持つ友人のウィリアム・ピット（ベネディクト・カンバーバッチ）。

イギリスの主収入源である奴隷貿易に心を痛め、現状を打ち破るべく闘う二人だったが想像以上の苦戦を強いられ、ウィルバーフォースは大腸炎になって病臥（びょうが）に伏す。その彼を支えたのは、若く美しい妻バーバラ（ロモーラ・ガライ）と、師のジョン・ニュートン（アルバート・フィニー）が作詞をした歌「アメイジング・グレイス」だった。法案は、一度は廃案になるものの――。

●奴隷制――人類の古き罪の遺産

古代ギリシャやローマ時代、戦争のための兵力として、すでに奴隷は存在していました。中世ヴァイキングはスラブ人（英語の「Slave（奴隷）」の語源）を奴隷にしましたし、イスラム人はトルコ人を奴隷としました。イギリス人、アメリカ人も16～18世紀にかけて、アフリカ系の黒人たちを奴隷としたいわゆる〝三角貿易〟と呼ばれる大西洋奴隷船貿易で巨万の富を得ました。すなわちアメリカは、黒人の労働力で南部の綿花栽培産業を栄えさせ、その綿花はイギリスの綿工業へと発展し、産業革命の基盤を築きます。

こうして近代資本主義社会は豊かな富を享受することになるのですが、裏ではそのための労働源として、同じ人間である黒人がモノとして惜しげもなく消費されたのでした。これは、人類の繁栄の代償である〝罪の遺産〟です。この国家の罪に対し、政治生命をかけて抵抗した一人の政治家、ウィルバーフォースは叫んだのです。

【字幕】ウィルバーフォース「歴史に汚点を残すな」

●大いなる人類の事業に欠かせないものとは？

第一に、忍耐、努力、信念、勇気です。議員300人に対して、ほんの数人の同志と共に立ち向かった彼の胸中にあったのは、信仰からくる〝正しいことは必ず成る〟という信念と勇気でした。

第二に、良き協力者の存在です。彼にはウィリアム・ピットというかけがえのない友人、背後から励まし続けた恩師ジョン・ニュートン、伴侶として彼の弱さを理解し支え続けた妻バーバラ、そして彼の主張に賛同し一緒に進む同志たちがいたからこそ、目的達成の日を迎えることができたのです。

第三に、知恵と戦略です。国家を敵に回し、四面楚歌(しめんそか)の状況の中でいったんは挫折した奴隷制度の廃止法案を成立させるには、必須のものでした。

●真の変革の力はどこから?

彼が巨大な国家の罪の壁を突き崩し、真の人道主義に立つ国に変えるための大きな力の基になったのは、彼の〝自己変革〟への大きな目覚めでした。

> 【字幕】ウィルバーフォース「私が変わる」「他人を変えたければ、まず自分が変われ」

グリーンマイル

この緑の道が長いか短いかは、生きている時のあなた次第

（2000年・188分・アメリカ）

「ショーシャンクの空に」と同じコンビで、ホラー小説で知られるスティーヴン・キングの原作をフランク・ダラボンが監督・脚色して映像化した、監獄を舞台に繰り広げられるヒューマンドラマです。

2000年のアカデミー賞で受賞は逃したものの、音響・脚本・作品賞・アカデミー助演男優賞（マイケル・クラーク・ダンカン）にノミネートされました。

タイトルの「グリーンマイル」とは、獄舎から電気椅子室へとつながる古ぼけた薄緑色の通路を看守たちが呼んだものです。単数ですから1マイル（1・6キロ）なのですが、実際には1マイルもない「遠い道」を意味します。己の罪のゆえに強制的に死にゆく者には、その長さはたとえ10メートル足らずだとしても、永遠に続くと感じられたのです。

ストーリー

養老院で余生を過ごす108歳のポール・エッジコム（トム・ハンクス）が、テレビで映画「トップ・ハット」を観て昔を思い出し、同じ施設の老夫人に、1935年当時に刑務所の主任看守だった頃の不思議な体験を回想し、語り始めるところから物語は始まる。

純真無垢で聖性を持った黒人の大男ジョン・コーフィー（マイケル・クラーク・ダンカン）が、幼い姉妹殺しの冤罪（えんざい）を着せられ死刑囚棟に入れられる。彼は超自然的な能力を持っていて、ポールや所長夫人の病を快癒（かいゆ）させたり、踏みつぶされた「ミスター・ジングルズ」と呼ばれるネズミを蘇生させたりする。さらに、邪悪な人間の象徴とも言うべき残虐な新任看守パーシーや姉妹殺しの真犯人ウォートンをも不思議な方法で始末するが、純粋で幼子のような性格の彼自身は、人間社会の縮図のような監獄の中での人間の邪悪さに耐えかね、引き留めるポールを振り切って、甘んじて電気椅子の座に着く。

ポールは生前のジョンから、ネズミのミスター・ジングルズと共に長く生きながらえる力を与えられたが、それはあたかも無実のジョンを処刑したことを、〝死ねない苦しみ〟をもって贖う（値を払って買い取る）ようなものだった——。

私のようなオールド・ミュージカルファンには、映画の冒頭と最後に流れる1935年の映画「トップ・ハット」の挿入歌「Cheek to Chee（頬よせて）」（作詞作曲：アーヴィング・バーリン、歌：フレッド・アステア）もたまりませんが、何といっても見どころは、3時間をかけて人間の善と悪をリアルに描き出したこの映画のドラマ性の見事さです。スティーヴン・スピルバーグが、「途中で耐え切れずに4回号泣してしまった」と漏らしたというエピソードもうなずけます。

映画の舞台は、監獄という人間界の〝小宇宙〟です。そこには何人かの登場人物によって、人間の〝善〟と〝悪〟が端的に描き出されます。〝悪〟を代表するのは、本当は臆病なくせに法の威を借りて死刑囚たちには高慢に振る舞い、いじめ抜くサディストの刑務官パーシー。彼と対照的に〝善〟を代表するのは、神のみ子イエス・キリストのような黒人の大男ジョン・コーフィーです。映画にも出てきますが、彼の名を英語で書けばJohn Coffey、つまりJesus Christと同じ「J.C.」です。その間に挟まったポールは、悪と知りながら裁けず、善と知りながら裁かなければならない人間としての葛藤にさいなまれる、弱く悩み多き私たちの姿そのものなのです。

ジョン・コーフィーはさまざまな奇跡の力を持ちながら、その善なる性質のゆえに、人を恨むことも復讐することもできません。それどころか、あたかも全ての人間の悪を贖うかのように、自ら死を選びます。それは、進んで十字架の道行きをしたイエス・キリストの姿と重なります。

キリストが十字架を背負って歩んだゴルゴタの道は、彼の〝グリーンマイル〟でした。ポールはそのグリーンマイルを歩く（死ぬ）ことさえ許されず、これからも人の世の苦しみ、悲しみを見続けるという贖いをしなければならないのです。〝贖い〟は「ショーシャンクの空に」同様、神のテーマであり、優れて人間一人一人のテーマです。

人は皆、必ず死にます。一人の例外もなく、私たちはいつの日か、己の〝グリーンマイル〟を歩かなければなりません。その道のりが死ぬほど（！）遠いか、天を望み喜び勇んで駆け抜けられるかは、私たちの生き方にかかっています。

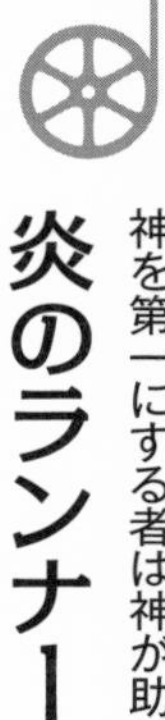

神を第一にする者は神が助けずにおかない

炎のランナー

（1982年・124分・イギリス）

1924年のパリ・オリンピックを舞台に、100メートル走で優勝したハロルド・エイブラハムズと400メートル走で優勝したエリック・リデルの二人を主人公に据えた、実話に基づくイギリスのヒューマンドラマです。

第54回アカデミー賞では、作品・脚本・作曲（ヴァンゲリス）・衣装デザイン賞の4賞を受賞し、他にも監督賞（ヒュー・ハドソン）・編集賞・助演男優賞（イアン・ホルム）の3賞にノミネートされました。作曲賞に輝くヴァンゲリスのテーマ曲「タイトルズ」は、映画の冒頭とラストで、〝走る〟ことに青春を懸けたイギリスの若者たちが、浜辺を一群になって走る印象的なスローモーションで流れます。

主演二人の青年のうち、エリック・リデルが敬虔（けいけん）なクリスチャンなので信仰が大きなテーマになっていますが、映画の原題「Chariots of Fire（火〈炎〉の戦車）」も、その宗教性を物語っています。これは、旧約聖書　列王記第二2章8〜15節の、預言者エリヤが火の戦車に乗って天に駆け昇るシーンがモチーフになっているのです。

ストーリー

ユダヤ青年ハロルド・エイブラハムズ（ベン・クロス）は、陸上競技に天性の才能を持っていたが、いつも潜在的な民族差別に苦しみ、名門ケンブリッジ大学で自らの走る才能を武器に、偏見との闘いに勝利することを決意する。

一方、スコットランドの宣教師の家系に生まれ、自らも中国に赴くことを目指すエリック・リデル（イアン・チャールソン）は、走る才能は神からの恩恵だと信じ、それを授けてくれた感謝として神を喜ばせるために走り抜こうと心に誓う。この二人が雌雄(しゆう)を決するパリ・オリンピックが、1924年に開催される。

エリックは200メートル走と100メートル走選手として選ばれていたが、自分の得意な100メートル走が行われるのが日曜日（神を礼拝する安息日）と知り、苦悩する。イギリスの名誉のために走るように強く勧める王室や貴族たちを前に悩んだ末、彼は神への信仰の道を選び、その競技を棄権しようとする。そんな彼に、思いもよらぬ救いの手が……。すでに他の種目で入賞していた選手が、彼のために、自分の持っていた400メートル走出場枠を譲ってくれたのだ。これなら日曜にかからないので、安心して走ることができる。結果的にハロルドは、ライバル対決はできなかったものの100メートル走で優勝し、エリックは400メートル走で栄誉を勝ち取った――。

作品から二つのテーマを挙げてみます。

●才能を用いる動機

人はそれぞれに得意な分野を持っています。〝才能〟といっていいでしょうが、人がその才能を生かす時、そこには〝何のためにするのか〟という動機や目的があります。ハロルドにとっては、ユダヤ人である自分への偏見や差別を跳ね返すためのバネにすることであり、エリックには神様の栄光のために用いることでした。二人の目的は異なるものでしたが、これはどちらが正しいかという問題ではありません。大切なのは、その目的を完遂できないような事態が起こった時、それにどう対処するかという問題です。場合によっては、この映画のエリックのように、より大切なもののためにその目的を諦めるという決断を迫られます。

彼のような信仰者にとっては、それは端的に言えば、「神を取るか、人を取るか」という非常に厳しい選択になるのです。

●神の栄光のために召されて

特に信仰を持たない人々にはなかなか理解できないことかも知れませんが、この世で神を第一として生きることは、クリスチャンにとっては試練であり、闘いです。自らの勤める企業や組織、ひいては国家の栄誉を一身に担う立場にある者には、それは時として偶像を拝まない、あるいは安息日を守るための人生を懸けた信仰の決断を促されます。そのためには大きな犠牲を伴い、しかも何も報われることはありません。

私も若かりし頃、主の日の礼拝を守るために俳優の道を捨てました。でもその技能は、キリスト教オーディオドラマ制作者として今も十分に用いられています。神は、第一のものを第一にする時、助けてくださるのです。

「こういうわけで、あなたがたは、食べるにも、飲むにも、何をするにも、すべて神の栄光を現すためにしなさい。」（新約聖書　コリント人への手紙第一10章31節）

歌詞訳にも翻訳者の力量が問われる

第三章に、「アメイジング・グレイス」が登場しました。この歌は「天国はほんとうにある」(2014年)でも歌われています。映画に歌が出てくると、少なくともそのメインの部分は訳します。特に賛美歌はメロディーの付いた聖句(聖書の言葉)で、正しい聖書知識が求められます。

1990年、ワーナー作品でマシュー・モディーン主演の「メンフィス・ベル」が公開されました。第二次大戦中、敗色濃いドイツの工業都市ドレスデンを空爆したイギリス航空隊の若者たちの物語で、タイトルは彼らの乗ったB-17爆撃機の中の一機の愛称です。

映画では、冒頭の出撃シーンや後半の山場のドレスデン空爆のシーンでもこの曲が流され、一見ミスマッチのように思われながら、若者たちの命を守る神の恵みが心に迫ってきます。

それから4年後の1994年、今度はリチャード・ドナー監督、メル・ギブソン、2014年に他界したジェイムズ・ガーナー、ジョディー・フォスター主演のコメディータッチの楽しい西部劇「マーヴェリック」の中に、この歌が登場します。純粋な信仰を持つ女性中心のクリスチャンの群れが登場して、彼らとのお近づきの印にメル・ギブソンがこの曲を歌うのです。2作とも、この歌詞部分は私が乞われて訳しました。

「♪Amazing grace how sweet the sound」
驚くべき恵み　たえなる調べよ
「♪that saved a wretch like me…」
いやしき我を救う

第四章

時には頭を空っぽにすることも必要だ

古い水を捨て、新しい水を入れるなら新しい容器で

年を重ねるとは、少しずつ余計なものを捨てていくことなのに、人間はいくつになってもさまざまなモノを背負い込み続けるようです。大は土地・家屋に始まって、小は家具、衣服、靴、本、調度品などなど。とりわけ私のような太平洋戦争勃発の年に生まれ、戦後のモノ不足の中を成長してきた者にとっては、「もったいない」意識がもう骨の髄まで染み付いています。この本の主読者である60歳以上の方なら、モノへのこだわりに私とそれほど違いはないと思います。

序章でも私の来し方を少し書かせていただきましたが、私は40歳で念願の2階建て4LDK、車庫付きの我が家を持ちました。子どものいない夫婦二人が住むには、十分な広さでした。その家でワーナーを辞めるまでの27年間、前述のさまざまなモノ二人分を、せっせとため込みました。おいおい処分していかなければと思ってはいましたが、実際には築40年の家はあと数年もすれば随所にガタがきたでしょうし、体力的にも引っ越しの力仕事をするには

限界だったのです。

そんな時に幸か不幸か（いえ、ゼッタイに幸でした！）国際詐欺借金の返済資金捻出と、再婚した妻が新居を望んだので、2021年5月、住み慣れた地所を手放すことになりました。いざ引っ越しとなって、押し入れからモノの出ること出ること！ 結果的に小ぢんまりした賃貸マンションに持ち込めたのは、その3分の1。これはまさしく、神様の〝断捨離強制執行〟でした。

人間の頭の中の知識も同様です。インターネットの発達で、現代は空前の情報氾濫時代、知らなくてもいい雑知識も含め、私たちの頭の中はかなり混乱を来(きた)しているのではないでしょうか？ モノと同じように頭の中も、時には空っぽにしましょう。第四章で紹介する3本の作品の共通項をひとことで言うなら、「何にも考えないで楽しめる映画」です。

頭をカラにできるのは、何といってもアクション映画でしょう。極めつけのアクション映画2本と、汚い政治にうんざりした頭をスカッとさせる1本を取り上げました。思いっきりあなたの頭をリフレッシュ、リセットしてください。それが明日への元気につながります。

この相棒ってサイコー！　立ち消えになった第5作も観たかった

《シリーズ》リーサル・ウェポン（1987〜1998年・アメリカ）

タイトルの意味は「致命的な武器」、ズバリ言えば「凶器」です。このシリーズではマーティン・リッグズ（メル・ギブソン）とロジャー・マータフ（ダニー・グローヴァー）が相棒刑事として活躍しますが、この〝人間凶器〟は射撃も格闘技もずば抜けて強いリッグズを指しています。

ワーナーのアクションシリーズものでは、「ダーティ・ハリー」と並んでドル箱映画になり、4作目まで続きました。監督は、エンターテインメント映画作りでは当代随一と言われたリチャード・ドナー。回を追うごとにド派手なアクションシーンを用意して、ファンを楽しませてくれました。アクション映画は、敵が強ければ強いほど面白いのですが、このシリーズでもそれを十分に立証しています。

ではまず4つのシリーズのタイトル、公開年などをまとめておきます。

リーサル・ウェポン（1987年・110分）
リーサル・ウェポン2　炎の約束（1989年・114分）
リーサル・ウェポン3（1992年・118分）
リーサル・ウェポン4（1998年・127分）

このシリーズ、実は第5作も計画されていて、そこではリッグズがめでたく独身に別れを告げて女性刑事ローナ・コール（レネ・ルッソ）と結婚、子どもまでできる予定だったのですが、さすがにメル・ギブソンがもう人間凶器のようなド派手なアクションは無理と思ったか、出演を辞退して計画は立ち消えになりました。残念！

4作それぞれに面白く、頭を空っぽにしてただ単純にスカッと楽しむには最高のシリーズです。私が教えている字幕翻訳学校で第2作「炎の約束」を教材にしていることもあり、とりわけ思い出深いため、代表して第2作のあらすじを掲げておきましょう。

ストーリー

マータフとリッグズはある夜、ＦＢＩの指示で2台の車を追跡する。容疑者たちは逃走中の車から激しく銃撃し、ヘリコプターも使って逃走。二人は、残された車内に大量の南アフリカ製クルーガーランド金貨を発見する。その後二人は、麻薬事件の重要な証人の会計士リオ・ゲッツを敵の殺害計画から守るため、ホテルに保護する。二人はゲッツから麻薬組織のボスの情報を聞き出し、同僚数人と共に断崖の上に建つ彼の豪邸に踏み込む。ボスの正体はアージャン・ラッドという駐ロサンゼルス南アフリカ総領事で、治外法権を盾にして逮捕・拘留を拒む。

さらに彼は警察に手を引かせるため、手下にマータフの自宅のトイレに爆弾を仕掛けさせたりして、脅迫や捜査妨害を始める。それでも捜査をやめない二人に業を煮やしたラッドは、同僚刑事たちを次々と暗殺。そんな中、リッグズは自らの自殺願望の原因となった愛する妻の謎の溺死が、彼らによるものであったことを突き止める。怒りに燃えた二人は、今しも麻薬取引で得た巨万の札束を積んで出航間際の敵船に乗り込んでいく——。

このシリーズ、主役の二人リッグズとマータフが、人種の違い（白人と黒人）、性格の違い（リッグズは恋人を敵に殺されて以来、自殺願望があるくせに生来のジョーク好き、犬好き。片やマータフは定年退職間近で愛妻家の家族思い、猫好き）を全く意識せず家族ぐるみで付き合い、いざ事件となれば友のために命懸けで助け合う固い友情で結ばれています。そして、どんな修羅場でもユーモアを忘れない心のゆとりが、毎回さわやかな後味を残してくれました。

たとえばコラム記事「知ったらハマる字幕翻訳の世界②」（97ページ）で紹介したトイレ爆弾のシーンで、マータフが座った便器から腰を浮かした途端に爆発するという絶体絶命のピンチに陥ったのに、こんなセリフが飛び出します。

【字幕】マータフ「仕掛けるなら女房のレンジがいいのに」
リッグズ「ごちそうを食わずに済む」（二人爆笑。夫人は料理下手）
マータフ「トイレで殉職か」
リッグズ「君は死なないよ。俺もトイレ心中は断る」

この二人の信頼関係のすばらしさは、聖書の一節を思い出させます。

「友はどんな時にも愛するもの。兄弟は苦難を分け合うために生まれる。」（旧約聖書　箴言17章17節）

世の中、悪の手が込んできて、善も〝ダーティー〟でなきゃ務まらない

《シリーズ》ダーティ・ハリー

（1972〜1988年・アメリカ）

クリント・イーストウッドが演じたダーティ・ハリーの本名は、ハリー・キャラハンですが、通称は「ダーティ・ハリー」。犯人をやっつけるためにはどんなダーティ（汚い、スゴい）手段も使うその強引で執拗なやり方から、いつしかそう呼ばれるようになったのです。彼の使う銃身の長いマグナム拳銃も、その強力な殺傷力で銃マニアの話題になりました。マグダム弾を使うこのピストルの正式名称はS＆W（スミス＆ウェッソン）M29といい、狩猟用に開発されたものです。

このシリーズは、毎回監督を変えて第4作ではイーストウッド自身がメガホンを取り、最大のヒットとなりましたが、なんといっても第1作の監督ドン・シーゲルと、イーストウッドのコンビは最強でした。それまでB級映画監督とされてきたシーゲルと、テレビ西部劇「ローハイド」やイタリアの低予算マカロニ・ウェスタンの役者程度にしか思われていなかったイーストウッドがタッグを組んで、新しいアクション映画とダーティー・ヒーロー像を世界に送り出したのですから。

全5作のタイトルなどを記しておきましょう。

ダーティ・ハリー（1972年　102分・ドン・シーゲル監督）

ダーティ・ハリー2　マグナム・フォース（1974年・124分・テッド・ポスト監督）

ダーティ・ハリー3　エンフォーサー（1976年・96分・ジェイムズ・ファーゴ監督）

ダーティ・ハリー4　サドン・インパクト（1984年・117分・クリント・イーストウッド監督）

ダーティ・ハリー5　デッドプール（1988年・90分・バディー・ヴァン・ホーン監督）

このシリーズには、いくつかの名セリフが登場しますが、二つほどご紹介しておきます。

まずは第1作から。

サンフランシスコ。屋上プールで泳ぐ女性が何者かに狙撃される事件が発生します。「ダーティ・ハリー」ことハリー・キャラハン刑事の出番です。やがて、「さそり」と名乗るヴェトナム帰還兵の偏執狂的連続殺人犯から脅迫が届きます。そんな中、ハリーが銀行強盗犯との銃撃戦後に、犯人に向かって銃を突きつけ、弾倉中にまだ弾が残っているかを当てさせようとして、怒鳴りつけるセリフがこれです。

【字幕】ハリー「今日はツイてるか自分に聞いてみな。このチンピラ野郎が！」

次は第4作。

乱暴な捜査を重ねた結果、北カリフォルニア沿岸の港町サン・パウロへの出張を命じられるハリー。サンフランシスコで起きている連続殺人事件の犠牲者の一人がこの町の出身であったからですが、意外なことにここでも同様の手口による殺人事件が起きていることを知ります。悪者を店の中に追い詰めたハリーに、敵が最後の反撃を加えようと銃を突きつけると、彼はこう言います。

【字幕】ハリー「撃たせてくれ」

英語のセリフは「Go ahead. Make my day」。直訳すれば、「やれよ。俺をいい気分で最高の一日にして、楽しませてくれ」という意味で、当時ロナルド・レーガン大統領も引用して話題になりました。この劇場訳（劇場公開時の字幕訳）「撃たせてくれ」はかなりの意訳ですが、この直訳に続いて、「そのためには死んでもらうぜ。撃たせてくれ」という流れになったのでしょう。今、私が訳すなら、さしずめこうです。

【字幕】ハリー「やれよ　笑うのは俺だ」

かくして、組織と規律を無視した、およそ刑事らしからぬアウトロー的行動ながら正義の信念を貫く直情径行型の刑事ハリー・キャラハンは、「リーサル・ウェポン」「ダイ・ハード」など多くの刑事アクション映画のヒーロー像の中で最も名前の知られたものになり、ワーナー・アクションシリーズの中でも、「リーサル・ウェポン」と共にドル箱映画になりました。いつの時代も、やはり強い正義漢は人々の憧れなのです。

デーブ

思わず、自分がアメリカ大統領だったらと思いたくなる

（1993年・110分・アメリカ）

「デーブ」は、アメリカの大統領が主役の映画です。この映画に刺激されたかのように、同じようにアメリカ大統領が主役の映画が4本ほど作られました。「アメリカン・プレジデント」（1995年 ロマンチック・コメディー　マイケル・ダグラス主演）、「エアフォース・ワン」（1997年 スリラー・アクション　ハリソン・フォード主演）、「ヒップホップ・プレジデント」（2003年 風刺ミュージカル・コメディー　クリス・ロック監督主演）、「ロビン・ウィリアムズのもしも私が大統領だったら…」（2006年 ロマンチック・コメディー）です（※以降、主人公の名前は本書の原音表記基準に基づき「デイヴ」と表記します）。

大統領映画の先駆けともいうべきこちらのほうは、大統領とそっくりな容姿を持つ男が、心ならずも大統領の影武者を演じ続ける羽目になる姿を描くハートウォーミング・コメディーで、監督・製作は「ゴーストバスターズ」「キンダガートン・コップ」のアイヴァン・ライトマン、脚本はゲイリー・ロス（アカデミー脚本賞ノミネート）、主演は「わが街」のケヴィン・クライン（ゴールデン・グローブ賞のミュージカル・コメディー部門主演男優賞ノミネート）、「エイリアン3」のシガーニー・ウィーヴァー。実在の米国上下院議員たち、ワシントンのテレビ番組の司会者、映画スターも大挙して特別出演しているので、アメリカに詳しい人は、ちょっとした人名当てクイズもできそうです。

ストーリー

メリーランド州ボルティモアで小さな職業紹介所を経営するデイヴ・コーヴィック（ケヴィン・クライン）は、時のアメリカ合衆国第44代大統領ウィリアム・ハリソン・ミッチェル（ケヴィン・クライン。ちなみに本物の44代目はバラク・オバマでした！）に瓜二つ。彼の存在を知った大統領特別補佐官のボブ・アレグザンダー（フランク・ランジェラ）は、雲隠れする大統領の身代わりをするようデイヴに依頼した。しかし、ミッチェル大統領が突然倒れて意識不明の重体になったため、彼は大統領を無期限に演じる羽目に陥るが、早々にいくつもの難問に直面する。まず、ファースト・レディーのエレン・ミッチェル（シガーニー・ウィーヴァー）の目をごまかすこと。そして、大統領の複雑な業務を一夜漬けで頭に入れること。だが、次第に大統領職に興味を持ち出した彼は職務を次々とこなしていき、国民に親しまれ、ミッチェル大統領の悪いイメージを一変させる。しかし、密かに大統領の座を狙っていた特別補佐官は、誠実なナンス副大統領（ベン・キングズリー）の汚職をデッチあげ、失脚させようとする。デイヴは、一度はホワイトハウスから逃げ出そうとするものの、いつしか孤独なエレンに深い同情を寄せるようになり、思い直して彼女とホワイトハウスに戻る。そこには、計画を実行に移すべく、大統領本人の不正を暴露した特別補佐官が待っていたが、デイヴは大統領として議会で謝罪演説をしたあと、副大統領の不正はなかったと弁護したうえで、アレグザンダーの所業を告発して解任。そのあとに待っていた、デイヴ一代の再すり替え作戦とは——。

政治にはズブの素人のデイヴが、会議で何度も窮地に立たされながら持ち前のウィットで切り抜けるのみか、次第に大統領としての威厳と実行力さえ身に着け、議題にはなかった貧者救済の予算案などを持ち出して次々に決めていくのが、なんとも痛快です。権力志向で民を顧(かえり)みなかった大統領が突如善良で国民利益優先の人間になり、さまざまな改革案を実行に移すというお話は、まるで現代のメルヘンです。現実にはあり得ないのに、〝もしそんなことができたら、どんなにいいだろう〟と思っている国民は、日本を含め世界中にたくさんいるのではないでしょうか。

この映画を観て思い出す現実の大統領が二人います。一人は1994年に黒人として初の南アフリカ共和国の大統領になったネルソン・マンデラ、もう一人は、「世界一貧しい大統領」と言われた南アメリカ・ウルグアイの前大統領ホセ・ムヒカです。二人に共通しているのは、自分の栄誉や名声よりも、国民の福祉と安全を第一に考えて政治を行ったことです。彼らの政治理念のモデルとなったのは、神でありながら人として生まれ、社会の弱者であった人々に生涯仕えたイエス・キリストです。そして、歴史を支配する神は、いつの時代でも腐敗した政治を浄化し、良き政治に変えてくださる希望を抱かせてくれるのです。

「人の子（イエス・キリスト）も、仕えられるためではなく仕えるために、また多くの人のための贖いの代価として、自分のいのちを与えるために来たのです。」（新約聖書マルコの福音書10章45節）

ハン「An act of faith.」
【直訳】「信仰の行為だよ」（＝猫は死なないと信じればいい）
【ビデオ訳】「誠意の問題だ」（「faith」の訳ですが選択ミスの誤訳）
【小川訳】「信じることだ」
ローパー「I'm a man of little faith.」
【直訳】「私は信仰の薄い者だ」
【ビデオ訳】「そんなものは ないね」
【小川訳】「至って不信仰でね」
→これは新約聖書マタイの福音書６章30節のイエスが弟子の不信仰を叱るセリフの引用。ビデオ訳はそれを知らず、あいまいに逃げました。

ローパーは猫をギロチンから抱き上げ、こう言って逃がします。
ローバー「Now you've got eight more.」
【直訳】「さぁ、（仮に死んでも命は）まだ８つもあるぞ」
【ビデオ訳】「死に損ないめ」
【小川訳】「長生きしろよ」
→これは、「猫には９つの命があり、何度も生き返れる」という言い伝えが基です。それを知らないビデオ訳は、原意とは真逆のこんな残酷なセリフになっています。

◆内容にマッチした言い回し

これはカンフー（武道）映画です。ハンのような強敵を倒すには、自分を“無”にして立ち向かわなければなりません。次の2つのセリフそれぞれで、訳の違いを味わってください。


【ビデオ訳】

「心の中に雑念は一切ない。冷静に展開を待つ」

【小川訳】

「無念無想の境地で敵を読む」


【ビデオ訳】

「一瞬のチャンス　頭ではなく体が自然に反応する」

【小川訳】

「機が来れば無意識で相手を倒します」

知ったらハマる字幕翻訳の世界❹

字幕翻訳者は雑学のプロ

◆聖句やことわざ

英語には、同じ単語でも複数の意味を持つものがたくさんあり、その選択を誤ると半誤訳になります。登場人物が話すセリフの中には、聖書やことわざの引用なども結構出てくるので、それを知らないとこれもヘンな訳になります。

「燃えよドラゴン」はビデオ発売後、映画を再公開したのですが、その時に私が必要な改訳をしました。カンフー映画なのに、聖書やことわざの引用セリフが数多く出てくるからです。

悪人のハンが世界制覇をもくろみ、ある島に世界からカンフーの達人たちを呼んでトーナメントを行います。島に向かう船の中で、応募者の一人がブルース・リーの扮するリーにケンカを吹っかけます。

男「What’s your style?」
【直訳】「お前の流派は？」
【ビデオ訳】「流儀は？」
【小川訳】「流儀は？」（同訳）

リー「You can call it the art of fighting without fighting.」
【直訳】「〝闘わずに闘う〟技と言っていい」
【ビデオ訳】「闘わずに闘う芸術さ」
【小川訳】「言うなら〝無闘流〟だ」
→ビデオ訳の「art」の訳「芸術」は、ここでは半誤訳です。私の訳は〝二刀流〟を踏まえての、いかにも武道らしい表現がキマってますよね？

トーナメントではリーら３人が上位に残ります。ハンは３人を自分の部下にしようとその一人ローパーに非情度テストを行い、ギロチンに白猫を載せて刃の紐（ひも）レバーを引かせようとします。

第五章

若さを保つ秘訣は、ときめきを忘れないこと

身を軽くして、下山の旅を楽しむ

60歳を過ぎる頃になると、それまでの人生ではあまり持っていなかったものがいろいろと手元に残るようになります。第一に「お金」、と言いたいところですが、それは人によります。私もワーナーを辞めた66歳の時は退職金と預金で、亡き先妻と夫婦二人の老後はそれなりに優雅なものになるはずでした。ところが国際詐欺被害に遭い、4年の間に全財産を失っただけでなく多額の借金を抱え、それを返済するために唯一残った敷地を売り、ほぼ一文無しになりました。まあ、これは珍しい例です。

けれどもその代わり、60歳を過ぎると、逆に失いかけてくるものも増えてきます。まずは体力と健康。昨日できたことが確実にできなくなっている。私自身驚いたのは、60代半ばまで先妻と共に何度となく海外旅行をし、一日何キロ歩いても平気だったのが、2021年に40年ぶりの引っ越しをしたところ、まるでそれで全精力を使い果たしてしまったかのようになり、再婚した妻に付き合ってスーパーでほんの何十分か買い物をしただけでも、足腰が疲れて座りたくなるのです。

それからもう一つ、精神面でも、いつの間にか失くしてしまっているものがあります。それは、心の〝ときめき〟です。道ですれ違った異性の方に親切にされ、年がいもなく胸が高鳴り、なんだか体まで若返ったりした経験は……残念ながらこのところトンとご無沙汰になっていませんか?

ときめきは、言葉を換えれば人生に起こる未知の世界への〝好奇心〟、あるいは童心に帰って楽しみたいと思う〝遊び心〟と言ってもいいでしょう。人間、年相応の体の衰えはさておき、この〝心の若さ〟まで忘れたら、どんどん老け込んでいく一方です。それを取り戻そうと、現実世界でときめきに身を任せたらちょっとまずいことになりますので、スクリーンの世界で〝ときめき心〟を刺激する楽しい映画をたっぷり観ることです。第五章には音楽、文学、ロマンス、動物愛、ファンタジーなど、心がときめく選りすぐりの9本をご用意しました。これらの映画で、ときめきを忘れないステキな年の取り方を学びましょう。

音楽と愛と信仰があれば、暗黒の時代も生きられる！

サウンド・オブ・ミュージック

（1965年・174分・アメリカ）

上映時間約3時間、休憩を挟んで2部に分かれた長編です。リチャード・ロジャーズ、オスカー・ハマースタイン二世の名コンビが1959年にブロードウェイで初演したミュージカルの映画版で、第38回アカデミー賞で作品賞、監督賞（ロバート・ワイズ）、編集賞、編曲賞、録音賞の5部門を獲得。主演女優賞（ジュリー・アンドルーズ）にノミネートされました。

映画の基になったのは、オーストリア出身のマリア・フォン・トラップの自叙伝『トラップ・ファミリー合唱団物語』で、オーストリアの名門トラップ男爵家の7人の子どもたちの家庭教師として修道院から派遣されたマリア（2014年、99歳で逝去）が、子どもたちから次第に慕われ、やがて気難しいゲオルク大佐（1987年、82歳で逝去）とも結婚し、一家でナチス・ドイツの追っ手を逃れてスイスに脱出するまでを描いた、心温まるファミリー映画です。

●これぞミュージカル！

冒頭、上空からの俯瞰(ふかん)で、覆われた白い雲の切れ目からオーストリア・ザルツブルクの丘陵がはるか下に見えます。その丘に立ち、両手を広げて舞うように歌い出す女性が、この映画の主人公で修道女のマリア、歌はご存じ「サウンド・オブ・ミュージック」です。

このテーマソングに続いて次々と映画に流れる楽しい曲の数々は、「オクラホマ」「回転木馬」「南太平洋」「王様と私」などで一世を風靡(ふうび)し、この作品が最後になったロジャーズとハマースタインの作曲作詞コンビの手による全11曲。数あるミュージカル映画の中で、これほど老若男女、誰にも親しまれる歌が流れる映画は他にありません。残りの10曲を、映画に登場した順でリストアップしてみます。このタイトルでシーンが浮かんでくる方は、この映画にハマった方です。①マリア　②自信を持って　③もうすぐ17歳　④私のお気に入り　⑤ドレミの歌　⑥ひとりぼっちの羊飼い　⑦エーデルワイス　⑧さようなら、ごきげんよう　⑨すべての山に登れ　⑩何かいいこと。何曲かは、2度登場します。⑨も最後に再び流れます。

●愛こそ音楽をつなぐもの

ミュージカル映画に音楽がふんだんに流れるのは当然ですが、観終わってふと、「もし人生に音楽がなかったら?」と思いました。世界は、おそらく真っ暗闇になってしまうことでしょう。ゲオルクは第1部の最後で、マリアに言います。

> 【字幕】ゲオルク「君はこの家に音楽をよみがえらせてくれた」

このすばらしい音楽の源は、マリアの誠実な神信仰からあふれ出る、子どもたちへの、そしてやがて夫となるゲオルク・トラップ男爵への〝愛〟です。この映画の全ての〝音楽の響き〟(タイトルの「サウンド・オブ・ミュージック」)の背後には、神から注がれる愛があります。

●修道院長に学ぶこと

マリアを育てたのは、女性の修道院長です。ゲオルクに恋した自分を恥じて修道院に戻ったマリアに、彼女はこう諭します。

【字幕】「神への愛も男女の愛も同じです。臆せず進みなさい」

彼女のこの信仰的卓見。日頃、その院長の修練を受けていた二人の修道女はラストで、国を脱出するトラップ一家を追うナチスの車のエンジン発火コイルを抜き取り、「罪を犯しました」と院長の前に差し出します。危機の中でとっさに働く、人命のためなら盗みの罪をも辞さないというこの判断は、福音（イエスの救いの教え）によって真に自由人とされた者だけができることです。それこそはイエスが、安息日の禁を犯しても病人を癒やすことによって示された、まことの信仰の在り方なのです（新約聖書　ルカの福音書14章1〜6節）。

●音楽と、愛と、信仰と

この3つが、この映画を時代を超えた〝不朽の名作〟にしました。たとえばケヴィン・コスナー主演で100年後の世界を描く映画「ポストマン」にも登場するのです。どんなシーンに出てくるのか、ぜひあなたの目でご確認ください。

音楽と、愛と、信仰。私たちの平凡な日常生活をよみがえらせる力になるのも、この3つです！

人間は動物から教えられなければなりません

野生のエルザ

（1966年・94分・イギリス）

原作は、ジョイ・アダムソンによる実在のライオンを記録した1960年刊行の同名ノンフィクション作品で、ベストセラーとなりました。原題は「Born Free（自由に生まれて）」です。この映画を観ると、動物にとっての自由は〝野生〟であることがよく分かると同時に、邦題の良さも伝わってきます。

監督はジェイムズ・ヒルとトム・マッゴーワン。ヒットした主題歌「Born Free」の歌はマット・モンロー、作詞がドン・ブラック、作曲および音楽はジョン・バリーです。第39回アカデミー賞では作曲賞、歌曲賞を受賞しました。キャストはジョイ・アダムソンにヴァージニア・マッケナ、夫ジョージ・アダムソンにビル・トラヴァーズが扮しています。この二人は実際もご夫婦で、ぴったり息の合った夫婦愛を演じ、この映画のあとも動物保護のために長年働きました。

ストーリー

1956年、ケニアの狩猟監視官であるジョージ・アダムソンは人食い事件で雌雄のライオンを射殺し、3頭の赤ん坊ライオンを家に連れ帰った。ジョージの妻ジョイは試行錯誤の末、前例のない子ライオンの人工保育を成功させ、3頭はアダムソン家で育っていく。しかし、野生のライオンは野生に戻すべきだと知らされ、ジョイは泣く泣く2頭をオランダの動物園に送るが、一番小さいエルザだけはどうしても手放すことができず育てる。

1年間の長期休暇でイギリスに帰る前に、ついにジョイはエルザを野生に返す決心をする。そのために当局から許された準備期間は3カ月。エルザはなかなか野生には戻らず、かえって重い病気になってしまうが、最後にやっと獲物を倒し、野生の群れに帰っていく。1年後、休暇から戻った夫妻はエルザを探すがどこにも見当たらない。諦めかけた時――。

●この映画の見どころ・魅力

①大自然のすばらしいカメラワーク。
②壮大な主題曲：エンドロールにはマット・モンローの歌で。

③脚本：原作に沿ったナレーション構成で、いわゆるト書きのようにライオンの習性やジョイの心理描写もよく分かります。

④エルザの演技：文句なし最優秀動物演技賞！（泳ぐライオン、初めて！）

⑤ユーモア：セリフでも動作でも。

●この映画の全編にあふれているものは〝愛〟

①夫婦愛：夫ジョンは、エルザを手放したくなかった妻のために、エルザを残します。帰りの車でそれを知ったジョイの喜び。エルザを野生に返すのに反対だった彼ですが、後半では、黙って彼女の好きにさせて見守ります。

【字幕】ジョイ「夫は内心反対だが、口に出さない。ありがたかった」

このナレーションは、次の聖書のみ言葉を連想させます。「あなたのして欲しいことを相手にもせよ。」（新約聖書　マタイの福音書7章12節要約）

②動物への愛：金のように大切な教え〝黄金律〟を、今度は妻のジョイがライオンのエルザに対してやってあげます。動物園に入れる代わり、3カ月かけて野生に返すという、常識

では到底不可能なことに挑戦します。それがエルザにとって一番いいことなのだと信じたからです。

●人間の罪の現実を考える

神の創られた世界は良いものでした。「神は、地の獣を種類ごとに、家畜を種類ごとに、地面を這うすべてのものを種類ごとに造られた。神はそれを良しと見られた。」（旧約聖書創世記1章25節）。その創造の秩序を、人間は神のように賢くなろうとして罪を犯し、破壊してしまったのです。（同3章）。

現実のアフリカでは、動物の毛皮や象牙を商売の道具にするため容赦なく殺戮（さつりく）しています。人間の物欲に多くの動物が犠牲になり、絶滅の危機にさらされているのです。罪を犯し自己中心になった人間は、動物を自分の利益の道具として、また単に自分を楽しませてくれる娯楽の道具として利用する者に堕してしまいました。そんな人間に必要なのは、物を言えない彼らの気持ちになって彼らの世界を守り、共存していこうとする人間の謙虚さです。人間が「動物被害」で騒ぐ時、その原因は人間がつくっていることを知らなければなりません。

天国は空の彼方ではなく、人の心の中に

天国の日々

（1983年・94分・アメリカ）

ここ7～9年の間に、「天国は、ほんとうにある」（2014年）、「天国からの奇跡」（2016）年など、天国をテーマにした映画が何本か公開されましたが、この作品は〝地上に〟天国を探し求める話です。物語は、第一次大戦最中のアメリカ中西部テキサスを舞台に、季節労働者となって農作物の収穫期に各地をさまよう移民たちの絶望と希望を描きます。いわゆる感動作ではなく、むしろ暗く悲しい映画ですが、それだけに映画を観る者に人生についてじっくり考えさせてくれます。

ストーリー

時は第一次世界大戦勃発の頃、リンダ（リンダ・マンズ）、兄ビル（リチャード・ギア）、兄の恋人アビー（ブルック・アダムズ）の三人は、農場の麦刈り労働者としてテキサスに向かう。ビルは世渡りに都合がいいように、アビーは妹だと偽る。過酷な農場の仕事で手を傷めたアビーのため、ビルは医者の馬車から薬を盗みに行き、患者である農場主のチャック（サム・シェパード）の余命が1年と知る。チャックはアビーに心惹かれ、刈り入れが終わって労働者たちが帰っていく中、アビーに残ってほしいと頼む。ビルにとっては農場主の財産を乗っ取るチャンス。チャックに求婚されたアビーを「どうせ長くない命だから」と説得し、結婚式を挙げさせる。

こうしてビルたちの貴族のような暮らしが始まるが、やがてチャックはビルとアビーの仲を疑い始める。ある夜、ビルとアビーがキスしている姿を見て、疑惑は確信に変わり、詰問されたビルは立ち去る。だが刈り入れの秋になると、彼はバイクで戻ってくる。折しも襲来したイナゴの大群を彼は追い払おうとするが、農場が火事になってしまう。チャックは不始末を怒り、銃でビルを殺そうとするが、逆にドライバーで刺され死んでしまう。ビルたち三人は逃亡するが――。

この映画の話題の一つは今やレジェンド（伝説）的存在、テレンス・マリックの監督作品であることです。「天国の日々」のあとに戦争映画「シン・レッド・ライン」、そして2011年、ブラッド・ピットとショーン・ペン共演の「ツリー・オブ・ライフ」は第64回カンヌ国際映画祭で最高賞パルムドールを受賞、最新作は２０１９年の「名もなき生涯」ですが、１９７３年の初の長編監督作品「バッドランズ」（地獄の逃避行）からこの最新作までの46年間で長編監督作品はわずか10本（うちドキュメンタリー1本）、平均5年に1本という寡作ぶりです。

彼のレジェンドは、この寡作に加え独特の撮影スタイルを持っていることです。すなわち夕暮れ時の20分間の〝マジック・アワー〟を狙い、自然光で撮影することで、その美しさから彼は「映像のフェルメール」と呼ばれています。

もう一つ、彼の作品の特徴は「テーマの多様性」です。この人生ドラマの中にも恋愛、嫉妬、生命の尊さとはかなさ、人間の弱さ、強さ、怖さ、欲望、天国と地獄、天使と悪魔、生と死など実に多様なテーマが表現されており、観客も自分自身の視点でその時の自分と重ね合わせ、〝自分の人生〟として作品を捉えることができるのです。

この映画を〝天国的〟視点から考えてみます。

●「天国の日々」という題名は、旧約聖書の「中命記」に出てくる言葉から取られたものです。この書はモーセが約束の地に入るイスラエル人に対して与えた律法と言われ、「唯一の神ヤーウェを愛していれば約束の地（天国）に住む日数＝天国の日々が多くなる」ことが強調されています（申命記12章10〜11節）。

●全体の構成は聖書が基です。①ビルとアビーが兄妹と偽るのは「創世記」のアブラハムとサラの関係　②小麦の刈り入れは「ルッ記」　③イナゴの来襲は「出エジプト記」の十の災いの一つ　④神による最後の審判の話は新約聖書の「ヨハネの黙示録」。

●この地上に「天国の日々」（富・幸福）を求めても、恋人の貞操を犠牲にする罪をそのままにして手に入れることはできません。罪の清算なしに、天国はないのです。では、「天国の日々」はどこに？　それは、現実の生活の厳しさ、苦しさの中にも神様の恵みを一つひとつ数え、神様の見守りを信じ、不平を感謝に変えて毎日を生きることの中にあります。「神の国はあなたがたのただ中にあるのです。」（新約聖書　ルカの福音書17章21節）

人生も今や後半戦。地上で〝天国の日々〟を送るには、「一日一生」の心構えが要りますね。

男が紳士なら〝女性上司の頼れる部下で親友〟もありでしょ

マイ・インターン

（2015年・121分・アメリカ）

ニューヨークのブルックリンを舞台にした、なんともハートウォーミングな男女のヒューマンドラマ映画です。主演はロバート・デ・ニーロとアン・ハサウェイ。ナンシー・マイヤーズが、映画「恋するベーカリー」に次ぐ2度目の製作・脚本・監督の3役を務めました。彼女は「恋愛適齢期」「ホリデイ」など、男と女の人生模様を描かせたら天下一品。「恋人たちの予感」（脚本）、「めぐり逢えたら」（監督・脚本）などロマンティック・コメディーの名手ノーラ・エフロン亡きあと、今や得難い逸材です。

ストーリー

ここはニューヨーク。ジュールズは女性向けファッション通販サイトの女性社長として、ほんの数人の仲間で始めた会社をわずか1年半で従業員220人を擁する企業に成長させることに成功し、公私ともに絶好調。ベンは40年間も電話帳の会社で管理職を務め、妻亡きあと、新しい生き方を求めている70歳の初老紳士。そんな彼が、シニア採用制度でインターン（実務研修生）として彼女の会社に採用される。社長直属になったものの、若者ばかりの社内ではさりげなく敬遠されるばかりで戸惑うベンだったが、経験で培われた的確な仕事ぶりと、何よりも面倒見の良い温かな人柄で、いつしか社員の人気を勝ち取っていく。

ジュールズには、彼女の通販事業の才能を生かすために、ビジネスの手腕がありながら進んで主夫になったマットと一人娘のペイジュがいたが、ベンは毎朝ドライバーとして彼女の家を訪れて遊んでいるうち、幼い彼女の信頼も得る。

そんな中、ジュールズは大きな問題を抱え込んでいた。信頼するスタッフからＣＥＯ（最高経営責任者）を迎えようと提案されたのだ。彼女の超多忙な社長職の負担を軽減し企画制作に専念させたいという心遣いだった。今や社長という仕事にも大きな意欲を持ち始めていた彼女には、難しい決断だった。一人悶々とした日々を送る彼女だったが、それを救ったのはベンだった。物事を高所から見通して、ベターからベストを選び出す才能を持つ彼の頼もしい励ましとアドバイスに、いつしか彼女は彼が部下であるよりも、人生の頼れる先輩として信頼を寄せ始め、そびえたつような課題と山積する難問に立ち向かう決意を固める。

ベン自身はといえば、離婚歴のある会社の専属マッサージ師フィオナ（レネ・ルッソ）と知り合うと、ひと目で惹（ひ）かれ合い、新しい自分の人生を予感し始める。

そんな中、彼はマットの浮気の現場を目撃したが、ジュールズも数日前に夫の浮気に気づいていて悩んでいたのを知り、彼女の相談に乗る。CEO最終候補に返事をする当日、ジュールズは夫や娘との時間を増やすために、CEO雇用受諾を知らせ自分は企画制作に専念しようと決心するが、ベンはこう言って彼女を励ます。

【字幕】ベン「社員思いの君の経営能力は誰にも負けない。それを捨てるな。」

そこへ夫のマットが会社に訪ねてきて、「浮気は終わりにした」と告げて謝罪し、「もう一度チャンスをくれ」と懇願する。ジュールズは彼を赦（ゆる）し、今や最高の友となったベンや良き仲間の助けを借りて、自らが社長として続けると共に、良き妻・母として家庭を守ることを固く心に決めるのだった——。

本作で考えたことの二つだけを記します。一つはシニア・インターン制。この制度の日本企業での普及率は知りませんが、高齢社会だけに、もっと充実させてほしい制度です。それまでの社会経験で得た豊富な知識と経験から得た知恵、何よりも良きパーソナリティーであれば、若い職場に〝人生の大先輩〟の生きた模範と和をもたらすこと必定です。

もう一つは、「レイジング・ブル」(主演男優賞)、「ゴッドファーザー2」(助演男優賞)の2度のアカデミー賞に輝くロバート・デ・ニーロと、「レ・ミゼラブル」で助演女優賞に輝いたアン・ハサウェイの二人のアカデミー俳優が演じてみせた、親子ほども年の違う若い女性上司とシニア男性の部下という、何とも異色で楽しい男女の人間関係です。とりわけ、これまでこわもて役の多かったデ・ニーロの〝変身〟ぶりは見事で、男性なら「年を取ったらこうなりたい」、女性なら「こんな人を恋人に、ダメなら良き親友に持ちたい」と思わせる魅力的な人物像です。それを端的に表す彼のセリフが、これです。

【字幕】ベン「ハンカチは貸すために持つものだ」

この主人公二人の年齢差・性差を超えた人間関係の在り方は、これからの時代の多くの男女に、良き示唆と希望を与えると思います。

人生の女神は〝ワンチャンス〟を逃さずつかんだ者に微笑む

ワンチャンス

（2014年・104分・イギリス）

監督デイヴィッド・フランケル、出演ジェイムズ・コーデンとアレクサンドラ・ローチで、イギリスの人気オーディション番組「ブリテンズ・ゴット・タレント」で優勝したことをきっかけに、国を代表するオペラ歌手となったポール・ポッツの半生を描いた伝記映画です。

作品中のポッツの歌声はポッツ本人の吹き替えですが、主演のジェイムズ・コーデンは、発声とオペラの発声とオペラのコーチに正しい呼吸を指導されたうえで実際に歌っているそうです。

ストーリー

イギリスのウェールズに住むポール・ポッツは、小さい頃からクラスのいじめられっ子。大人になってからは町の携帯電話ショップで、客扱いは最悪だが気の置けない上司ブラドンと二人で働いている。製鉄所で働く父と、気さくな母との間に生まれた一人っ子の彼が唯一得意とするのは歌で、将来はオペラ歌手を夢見ていた。しかし実直な父は、庶民には別世界のオペラが大嫌いだった。

そんな中、ブラドンにけしかけられ、メールで知り合ったガールフレンドのジュールズとやっと会えたポールは、両親とも一緒に食事をした彼女とたちまち恋に落ちる。彼女に背中を押された彼は、夢を叶えるためイタリア・ヴェネツィアのオペラ学校に留学し、その歌唱力を学長にも認められ、折しも学校を訪れた憧れのパヴァロッティの前で歌う。ところが、緊張して散々の結果に。パヴァロッティに自信のなさを指摘され、「君は一生歌手になるのは無理」と酷評されてしまう。

すっかり自信をなくし、失意のあまり結果を待つジュールズに連絡もできなかった彼だったが、帰国後、怒って別れようとする彼女を路上で待ち受け、オペラの愛の歌を歌ってつなぎ止め、ほどなく人々の祝福の中、結婚式を挙げる。

こうして彼は、アマチュア劇団の舞台に立つなど幸せをつかんだかに思われたが、急性虫垂炎の手術直後に、観客を失望させまいと舞台で歌い緊急入院、治療中に甲状腺腫瘍が見つかり、やっと治って歌えるようになったと思ったら、今度は交通事故で1年半も療養する羽目に。収入はジュールズのスーパー店員の給料だけになり、家賃や光熱費も払えなくなり、どん底に陥る。そんな時、偶然インターネットでテレビのオーディション番組の出演者募集広告を見た彼は、これが最後のチャンスと応募し、妻ジュールズの後押しを受けて番組の舞台に立つ。そこには驚くべき結果が待っていた——。

彼が逆転の人生をやり直すきっかけになった幸運のオーディション番組「ブリテンズ・ゴット・タレント」は、奇跡の歌姫スーザン・ボイルを見出した人気番組で、私も一度、牧師が率いる男声クワイアの「アーメンコーラス」に字幕を入れたことがあります。この映画にも、番組の三人の審査員が特別出演しています。

オペラファンには、この映画で数々の詠唱をポール・ポッツ自身の美声で堪能するという楽しみがあります。主なものでも、何度か出てくる「誰も寝てはならぬ」(オペラ「トゥーランドット」より)や、「星は光りぬ」(オペラ「トスカ」より)、「清きアイーダ」(オペラ「アイーダ」より)などなど。

彼が留学する水の都ヴェネツィアの景観も、目を楽しませてくれます。

何より心を打つのは、主人公ポールの、気の弱さにもめげず小さい頃からの夢を追いかける心の純粋さと、彼を支える妻ジュールズの愛情です。

【字幕】ジュールズ「何事も一歩ずつよ」

このひと言が、大事を前に緊張してくじけそうになる彼を幾度も救うのです。

彼には上司で親友のブラドンや、小さい頃から彼を知り、彼の病気回復を祝い成功を喜ぶ町の仲間がいましたが、誰よりも彼を愛する母親と、無骨ながらも彼を温かく見守る父親がいました。映画の最後、有名になった彼がイギリス女王の前で歌うことになった時、楽屋で父は言うのです。

【字幕】父「親父としていかに成功したかは、子どもが親父をどれだけ超えたかだ。お前は自分に誇りを持っていい」

人は、良き家族や仲間に支えられ、夢を諦めずにワンチャンスをつかむ時、人生に大きく羽ばたけるということを、この実話映画は雄弁に語っています。

老人と海

人間の生き方の決め手は瞬間の燃焼力。年齢は関係ない

（1958年・86分・アメリカ）

ジョン・スタージェス監督（当初、監督だったフレッド・ジンネマンから変更）が、アメリカの作家アーネスト・ヘミングウェイが1952年に出版してピューリッツァー賞を受賞した同名の小説を映画化した作品です（彼がノーベル文学賞を受賞した理由は、この映画がメインといわれています）。

アカデミー俳優スペンサー・トレイシー（この映画では受賞は逃しましたが、主演男優賞にノミネート）が老漁師に、フェリッペ・パゾスが少年に扮しました。セリフは一切なく、主演のスペンサー・トレイシーがナレーションも務めました。聴いただけで、果てしない海が目の前に広がるようなダイナミックな音楽を担当したのはディミトリ・ティオムキンで、第31回アカデミー賞で作曲賞を受賞。これは映画「真昼の決闘」の「ハイヌーン」（1952年）、「紅の翼」の「ハイ&マイティー」（1954年／WB＝ワーナー・ブラザース）に続いて3度目の快挙です。彼は他にも「ジャイアンツ」（1956年／WB）、「リオ・ブラボー」（1959年／WB）、「友情ある説得」（1956年）、「OK牧場の決斗」（1957年）、「アラモ」（1960年）などの作曲で知られています。

ある意味、〝海〟が主役のこの映画は、原作の持つ最高の海のイメージを求めて撮影は南米キューバ（コヒマル湾）、ペルー、パナマ、バハマのナッソー、さらにはハワイにまで及び、そのため当初の200万ドルの製作費が倍以上の500万ドルに膨れ上がったという逸話も残っています。

この映画のストーリーを書こうと思ったら、わずか2、3行で済んでしまいます。けれど、84日間もの全くの不漁のあとで乗っていた小船より60センチも長い大カジキと遭遇し、ただ一人で足掛け4日間の大格闘をする男の話には、随所に主人公の心理描写が的確に描かれていて、さすがヘミングウェイと思わせる男のロマンがあります。それでは私のナレーションで誌上上映です。

私が字幕翻訳をしたこの映画は、次の字幕で始まります。

【字幕】「老人は一人ぼっちの漁師だ」

主人公の漁師の名は明かされず、「老人」と呼ばれます。彼は彼のことを〝世界一の漁師〟と尊敬する少年を愛していますが、年のせいでよく夢を見ます。もう昔のように暴風雨や女性、死んだ妻は出てこず、アフリカの輝く砂浜、白い海岸でライオンが戯れる夢です。

ある朝、老人は少年と海に出て、少年を陸に帰すと海に遠出をします。餌を少年に付けてもらった4本の綱を海中に下ろし、汐(しお)の流れに船を任せて漂っている時、魚が1匹も取れなくなってから85日目に、ついに大カジキに遭遇します。このあとの観客は、この大カジキがまるで敵ながら勇敢で知能にたけたカジキ軍団の総大将で、彼が「どうだ、決着がつくまで俺と差しで勝負してみないか?」と、男の戦いを挑んできたような錯覚に襲われるのです。

それから太陽が3回昇る4日間、老人は海上に姿を見せないこの大魚に、いろいろな感情を抱きます。まずはむき出しの〝敵意〟です。「畜生め!」、それから〝憐憫(れんびん)〟です。「かわいそうに。お前も俺と同じ独りぼっちか」。ついに巨体を海上に現し、大きなダイビングをしてまた海中に潜る魚との死闘の末、700キロはあろうかという大カジキは力尽きて浮かび上がり、老人のとどめのモリの一撃で絶命しますが、その壮絶な最期に老人は思います。

「あの堂々たる振る舞い、あの威厳。人間たちにこいつを食う値打ちがあるだろうか」

そこに、海のハイエナのようなサメが襲ってきます。カミソリのような歯ががぶりと大魚の尾に噛みついた時、老人は我が身をえぐられる苦痛を感じます。今やこの魚は、彼と一心同体だったのです。夕暮れ近くまでの数匹のサメとのモリを使った応戦に老人が力尽きた時、魚の身に、もう食う部分は少しも残っていませんでした。迎えに来た少年と言葉を交わしたのち、老人は深い眠りに落ち、映画は小説と同じこのナレーションで終わります。

【字幕】「老人はライオンの夢を見ていた」

全身全霊を挙げて男の闘いをした老人は満足でした。無残な結末など問題ではなかったのです。それは、人生＝人間の生き方にも通じるものがあります。人生の価値は、いかに成功したかではなく、いかに闘ったかで測られます。持てる力を出し切った時、人は深い魂の満足を覚えることができるのです。

ホリデイ

休暇を取るなら、フツーにはないことを期待しよう

（2007年・135分・アメリカ）

キャメロン・ディアス（「チャーリーズ・エンジェル」）、ケイト・ウィンスレット（「タイタニック」）、ジュード・ロウ（「A・I」）、ジャック・ブラック（「ジュマンジ」）が主演の四人を演じ、ベテラン脇役イーライ・ウォラック（「ゴッドファーザー3」）が共演した作品。休暇中に〝ホーム・エクスチェンジ〟（住居交換）をした二人の女性が、それぞれに素敵な恋の出会いをするというロマンチック・コメディーです。（同じホーム・エクスチェンジを題材にした映画には、「カウチ・イン・ニューヨーク」〈1996年〉があります）。

製作・脚本・監督は、私の古巣ワーナーでも「恋愛適齢期」「マイ・インターン」を作ったナンシー・マイヤーズ。「ユー・ガット・メール」で紹介した、同じく製作・脚本・監督をこなすノーラ・エフロンもそうですが、きめ細かい演出で愛し合う男女の心のひだをよく映像に映し出してくれます。この映画も2組の男女の恋の行方を追うマイヤーズ監督の手に

よって、何とも心温まる物語の展開に時にほろりとし、時には思わず笑って拍手をしながら、2時間15分の長さも忘れて最後まで引き込まれてしまいました。

ストーリー

会社のクリスマスパーティーで、ロンドンの新聞社に勤めるコラムニストのアイリス（ケイト・ウィンスレット）は、恋人で同僚のジャスパーが他の女性と婚約したことを知る。一方、ロサンゼルスに住み、ハリウッド映画の予告編の製作会社を経営するアマンダ（キャメロン・ディアス）も、恋人のイーサンの浮気に気づき、別れることにする。いくら悲しくても涙を流せないでいたアマンダは、休暇を取って旅に出ることを決め、インターネットで、休暇中にお互いの家や車などを交換する「ホーム・エクスチェンジ」のウエブサイトで、イギリス・サリー州の小さな村にある素敵なコテージを見つける。それは、同じく恋に破れたばかりのアイリスの家だった。

意気投合した二人は、早速お互いの家を交換することにして旅立つ。アマンダはアイリスの兄グレアム（ジュード・ロウ）と、アイリスはイーサンの友人で映画音楽の作曲をしているマイルズ（ジャック・ブラック）や、近所に住む引退した脚本家のアーサー（イーライ・

ウォラック）たちと出会う——。

このストーリーで分かるように、海を隔てて全くの赤の他人だったアイリスとアマンダの二人の唯一の共通点は、恋に破れてやけっぱちになっていること。この二人が、傷心を気分転換で癒やすべく、２週間という期間限定の住居交換で、双方の家に移り住みます。イギリスではアマンダが、妻と死別し二人の娘を抱えたグレアムと、アメリカではアイリスが映画音楽作曲家のマイルズと、それぞれ出会い、束の間の恋のつもりがやがて本当の恋に陥っていくというストーリーです。この展開はラブコメの常道ながら、観る者は一緒になって２組の恋の行方を追うことになります。

この四人の演技に加え、イギリスのレンタルビデオ店のシーンでは、なんとダスティン・ホフマンがかつてのヒッチコックばりに客の一人でちらりと姿を見せるかと思うと、若き日の西田敏行のような風貌のキャラで軽妙な演技を見せるジャック・ブラックが、「ドライビング・ミス・デイジー」「ジョーズ」「風と共に去りぬ」などの名作映画音楽をアドリブで歌い出して、観客の笑いを取ります。

脇役の中では、アメリカの古き良きハリウッド時代を象徴する、引退した老脚本家に扮したイーライ・ウォラックが何ともいえず枯れた良い味を出し、1940年、50年代を代表する懐かしい女優名も出てきて、私のようなオールドファンを喜ばせてくれます（ちなみにダスティンのカメオ出演は、たまたま撮影現場となったレンタルビデオ店を通りかかったからだそうで、監督も味なことをやります）。

この映画のキャッチコピーは、「人生に一度だけ、誰にでも運命の休暇がある」ですが、私は、全ての愛する男女の出会いの背後には、神様の見えないみ手が働いていると改めて感じました。それというのも、普通なら絶対に出会うはずのないこの2組の男女を、何千キロもの距離や互いの生活環境や仕事の違いなど、あらゆる障壁を乗り越えて結び合わせるのは、〝愛の力〟だと信じるからです。私事ですが、私自身も、先妻を一夜で失って傷心の中にあった時、フェイスブックで知り合った同じクリスチャン女性とズームで交わりを深め、1年後に結婚しました。それは600キロの時空を超えた〝奇跡の再婚〟でした。

見えないときめきと見える闘いの中で、本当の愛ははぐくまれる

ユー・ガット・メール

（1999年・119分・アメリカ）

製作・監督・脚本がノーラ・エフロン、主演がトム・ハンクス（オスカー俳優）にメグ・ライアン（ラブコメの女王）で、この監督・主演コンビは1993年公開の映画「めぐり逢えたら」以来、2度目の顔合わせでした。ノーラ・エフロンは女性監督で、このような愛し合う男女の心の機微を描かせたら天下一品。私の大好きな監督でしたが2012年、71歳で惜しまれつつ病死しました。

インターネットで知り合った名前も知らない男女が、メールのやり取りをしながらお互いに惹かれ合っていくこのロマンチック・コメディーは実はリメイクで、オリジナルは1940年に製作されたエルンスト・ルビッチ監督の映画「街角　桃色の店」（日本では1947年公開）です。

ストーリー

ニューヨークの街外れ。キャスリーンはそこで母親の代からの小さな絵本専門店「街角の小さな本屋さん」を開いていた。彼女は商品に関する豊富な専門知識と、顧客との触れ合いを大切にするという母親譲りの経営方針を守っていた。その彼女が最近熱を入れているのがインターネット・メールで、ハンドルネームはShopgirl（女性店員）。同棲している恋人フレッドがいるのに、ジョー（ハンドルネーム「NY152」）とのやり取りにハマってしまったのだ。ジョーもまた恋人パトリシアよりも、未知の相手との交信に安らぎを覚えていた。

そんな時、キャスリーンの店のすぐそばに、大型書店「フォックス・ブックス」が開店する。カフェ併設で値引き商法の強力な魅力に客は奪われ、店はたちまち閉店の危機に。実は、この店の経営者はジョーだった。二人は実生活では顔を合わせればケンカを始める商売敵。けれど帰宅した途端「Shopgirl」と「NY152」の無二のメル友になった二人は、相手の正体を知らぬまま、どんどん惹かれ合っていくが――。

この映画は、二つのことを考えさせます。一つは、本当の幸せとは何か。

それは生活の便利さか？　ビジネスで経済効果を最大限に上げることか？
ジョーが大型書店を出店することで、キャスリーンの絵本店が廃業に追い込まれますが、これは現代の資本主義社会の縮図です。利潤の規模が大型化するのに反比例するように古き建物、環境、それに伴う最も大切な人の優しさ、思いやり、助け合う心など、古き良きもの、かけがえのないものが失われていくのです。ついに閉店で空っぽになった店を去る夜、キャスリーンはこの店で母と踊った幼い日の思い出のイメージを見ながら、つぶやきます。

【字幕】　キャスリーン「私の一部と一緒に、母が2度死んだみたい」

今や全世界のビジネス業界は、次のようにはっきり二分化されています。資金力に物を言わせた大量販売方式か、人と人との心の触れ合いを大切にした小規模販売方式かです。今後、真に目指すべきは、いよいよ希少価値になる後者の〝心〟（きめ細かいサービス）を持った前者（安さ）のような在り方でしょう。しかし物質の豊かさは、心の豊かさとは直結しません。後者を守るために、時として最後まで闘う必要性もまたあるのです。キャスリーンの店で、彼女の母の代から働いていた老女性店員のバーディーはこう宣言します。

【字幕】バーディー「〝街角の店〟を救いなさい。そうすればあなたの魂も救われます」

これはクリスチャンにはおなじみの聖句をもじったものです。「主イエスを信じなさい。そうすれば、あなたもあなたの家族も救われます。」（新約聖書　使徒の働き16章31節）

でも、これは大げさではありません。世界にまだ残る〝街角の店〟は、人間の愛と良心のシンボルなのですから。

この映画が教えるもう一つのことは、出会いの大切さです。「人生は出会いで決まる」と言っても過言ではありません。出会いで大切なのは〝どこで〟よりも〝誰と〟出会うかです。良き師、良き友、良き伴侶……。でも人生最大最高の出会いは、あなたを無条件で愛してくださるイエス・キリストとの出会いです。このお方に出会えたら、あなたもキャスリーンのようにきっとこう叫ぶでしょう。

【字幕】キャスリーン「あなたで良かった。本当に良かった」

知ったらハマる字幕翻訳の世界❺

翻訳者が苦労するのは旧約聖書

このコラム④の「燃えよドラゴン」もそうでしたが、欧米映画の中には必ずと言っていいほど、聖書が出どころのセリフが出てきます。とりわけ旧約聖書からだと翻訳者は苦労します。

「ディープ・ブルー」（1999年）というワーナー映画がありました。「ジョーズ」の姉妹編のような海洋生物パニック映画です。それほどヒットはしませんでしたが、思いがけず旧約聖書の物語が出てきました。

サメの脳から新薬を作ろうとした女性博士が、成功を焦ってサメのDNAを操作した結果、巨大かつ獰猛（どうもう）化して人間に襲いかかります。主人公のプリーチャー（「伝道者」の意）がサメの襲撃を避けて大型オーブンの中に入りますが、その分厚いガラスをサメが直撃してガラスにひびが入り、今にも中に入ってきそう。彼はオノを振るってオーブンの天井を破り、危機一髪で脱出しながらこんなセリフを吐きます。

プリーチャー「I am not Daniel when he faced the lion!」

【直訳】「俺はライオンと対面した時のダニエルじゃない！」（これは旧約聖書「ダニエル書」6章からのセリフです）

【字幕】「俺〝ライオンとダニエル〟じゃないぞ」（これでは日本人観客には皆目、意味が分かりません）

【小川訳】「聖書の〝獅子の穴のダニエル〟かよ！」

→「聖書の」で出典が聖書であることを知らせ、「穴」でオーブンを思わせる補い（補訳といいます）が、魔法のように効いているのがお分かりいただけるでしょうか。

字幕翻訳には専門分野、とりわけ聖書知識は必須ですね。

第六章

最後のひと息まで、人生は現役！

生と死は横並びにつながっている

本書も最終章を迎えました。「終わり良ければ全て良し」といわれますが、第六章で紹介するのは、〝一度限りの自分の人生をどう締めくくるか〟を考えさせてくれる作品です。私たちには将来に向けて、金持ちか貧乏か、健康か病気かなど、いろいろ不確定要素がありますが、唯一確率１００％のものがあります。それは死亡確率です。だからこそ60歳を過ぎた私たちは、かなり真面目にそのことについて考えなければならないのです

人生の締めくくり方は人さまざまです。元気な時は人もうらやむ派手やかな生活をしたのに、晩年は病に苦しめられ死を恐れつつ最期を迎える人があれば、生前はまるで〝病気のデパート〟のようにいろいろな病を次々に抱え込んで生きてきたのに、人を愛し人に愛されて平安な旅立ちをする人もいます。

仕事の面でも、馬車馬のように働いた会社を定年退職した途端、生きがいを失って急速に老け込む人もいれば、瀬戸内寂聴さんのように99歳で天寿を全うする間際まで僧職に、執筆

に、講演に持てる力を出し切った幸せな方もいます。

作家の三浦綾子さんも若い頃、毎日を死と向き合っていた病床でキリストを信じ、生涯にわたって多くの人に生きる光を与える執筆活動を続けました。晩年には、「私にはまだ〝死ぬ〟という大切な仕事が残されている」と書いています。人間、最期の最期まで天職ともいうべき自分の仕事を全うできたら、これほどの幸せはないでしょう。

私自身のモットーも〝生涯現役〟、まだまだこれからです。

この章で取り上げた6本の作品に共通するのは、自分自身の、あるいは家族の〝死〟に直面した人の話だということです。人生で〝生〟と〝死〟は隣り合わせです。日本の緩和ケアの先駆者、クリスチャンの精神科医・柏木哲夫先生は多くの患者を看取りながら、「人間は生きてきたように死んでいく」と言われました。良き死で人生を締めくくるには、良き人生を生きなければいけないのです。死は、その人の人生哲学の集大成です。一生懸命に生きた人は恐れず、一生懸命に死に立ち向かいます。あなたもどうぞ人生そのものに、〝生涯現役〟でいてください。死に立ち向かえるのです。願わくは、仕事は引退しても、人生そのものには〝生涯現役〟でいきたいものです。

良き友と家族のありて悔いはなし

最高の人生の見つけ方

（2008年・97分・アメリカ）

「スタンド・バイ・ミー」「ア・ヒュー・グッドメン」などで知られる知性派監督ロブ・ライナーが、アカデミー俳優のジャック・ニコルソン、モーガン・フリーマンの二人を起用して、誰の人生にも最後に必ず訪れる〝死〟の問題を取り上げました。

余命6カ月を宣告された二人の男、百万長者エドワード（ジャック・ニコルソン）とクイズ好きの自動車修理工カーター（モーガン・フリーマン）。二人は、全く接点のない世界を生きてきたのですが、それぞれがんを患い、エドワードが建てた病院の同じ部屋で、人生の最期を共に過ごすことになるのです。二人は、育ってきた人生も全く違えば、人生観も月とスッポンほど違っていたのですが、お金には困らない代わり家族に見捨てられたエドワードは、貧しくとも神を信じ、愛する妻や子どもたちと幸せに生きてきたカーターに、自分にはついに得られなかった〝何か〟を感じ始めます。それは、お金では絶対に買えないものでした。

意気投合した二人は、死ぬ前にやり残したことをリストに書き、それを実現するための世界冒険旅行に出発するべく病室を飛び出すのです。

最高の人生を全うする仕方をユーモラスに、また真面目に描いたこのヒューマン・コメディー作品こそ、60歳を過ぎたら観るにふさわしい1本でしょう。

ちなみに、二人の〝死ぬ前にやりたいことリスト〟の中身はこれ。カーターが大学時代に密かに書いていたものに、エドワードが書き足したものです。

①スカイダイビング　②世界一の美女にキスをする　③泣く（涙が出る）ほど笑う　④見ず知らずの人（赤の他人）に親切にする　⑤荘厳な景色を見る　⑥入れ墨を入れる　⑦ピラミッドを見る　⑧香港に行く　⑨マスタングを乗り回す　⑩ライオン狩りをする　⑪タージマハルを見る　⑫万里の長城を見る

この映画から、人生について五つのことを考えてみましょう。

〝死〟は人生100パーセントの確率

死はそれまでの人生の幸不幸にも、経済的成功不成功にも一切関係なく、誰にでも平等に訪れます。私たちの生と死は、いつもペアで考えなければなりません。死は時として、予期せぬ時に突然訪れます。私の先妻がそうでした。私たちの生は、普段気づきませんがいつも死と隣り合わせなのです。

●人生は出会いです

カーターは、エドワードとの出会いを神のご計画と受け止めました。クリスチャンにとって出会いとは、彼のように自らの信仰をさりげなく証(あか)しして、一人の人間の運命を永遠に変えるチャンスに他なりません。あなたもこれから亡くなるまで、いろいろな人と出会うでしょうが、相手から、「あなたと出会えて良かった」と言われる出会いにしたいものです。

●人生のチャンスは最後までありります

神の計画は、人の思いを超えます。それが良き願いである限り、あなたの願いは、時として死後であっても叶えられます。しかも、この映画の二人のようにしばしば思いがけない方法で——。

●人生の危機を支えるもの

それは家族・伴侶の愛の支えです。カーターの妻は彼を気遣い、共にいたいとエドワードに世界旅行からの早期帰宅を願いました。彼が家に帰った時、彼女は家族を挙げて無事を喜び、感謝の祈りをささげたのです。

●最高の人生とは?

何でも手に入れてきたエドワードに欠けていたこと、備えのなかったものは家族愛の温かさと、この地上の生涯を終えたあとの自分の魂の行き場所でしたが、カーターという得難い友によって、彼はこのいずれをも手にすることができました。彼は、ついに〝最高の人生〟を見つけたのです。

まことの〝最高の人生〟とは、神を信じ、神と共に歩む人生です。そこにこそ永遠の祝福があるのです。この映画を観終わったあとに、もしあなたがクリスチャンなら、きっとこの聖書の一節が響いてくるに違いありません。

「永遠のいのちとは、唯一のまことの神であるあなたと、あなたが遣わされたイエス・キリストを知ることです。」(新約聖書　ヨハネの福音書17章3節)

〝贖い〟は人生最大の課題かもしれない…

ショーシャンクの空に

（1995年・142分・アメリカ）

刑務所内の人間関係を通し、冤罪（えんざい）によって投獄された有能な銀行員が、腐敗した刑務所の中でも希望を捨てず生き抜いていくヒューマンドラマです。刑務所に凝縮された人間の罪の実態（殺人、暴力、性暴力、脱税）が次々に描かれ、なんとも暗い内容なのに、観終わって気分がすっきりするこんな映画も珍しいです。

主人公アンディーの脱獄が成功して長年の夢が叶うことと、レッドとの友情が再び叶うことによるもので、彼は〝現代のモンテ・クリスト伯〟（アレクサンドル・デュマの『巌窟（がんくつ）王』）です。ストーリーの中で真の主役である〝脱獄〟が画面では一切隠されていて、最後に掘った穴を隠すため壁に掲げたポスターが破られて初めて分かるという展開は見事です。

興行的には成功したとはいえませんでしたが、批評家からは高く評価され、第67回アカデミー賞では7部門にノミネートされました。原作はスティーヴン・キングの中編小説『刑務所のリタ・ヘイワース』で、のちに同じ彼の原作で「グリーンマイル」を作ったフランク・ダラボンが初めて監督した作品です。

ストーリー

時は1947年。若くして銀行副頭取を務める有能な主人公のアンディー（ティム・ロビンズ）は、妻とその愛人を射殺した罪に問われ、終身刑でショーシャンク刑務所に入れられる。そこには、すぐに無二の親友になる〝調達屋〟レッド（モーガン・フリーマン）や、不正な税務処理で私腹を肥やすノートン所長、暴力刑務官ハドリー、新入りを性暴力の餌食にするボグズ、50年も服役中の老囚人ブルックス、のちに入所する勉強熱心な若者トニーなどの人間模様が描かれる。そんな中で、刑務所という私たちの知らない世界が赤裸々に描かれていくが、ある意味、それはこの世の罪が凝縮された縮図であった――。

この映画は、人生について、とりわけ次の四つのことを考えさせてくれます。

●人を裁くということの重さ

罪を犯すことの罪性もちろんですが、それを法の名のもとに裁くことの重さについて考えさせられます。一つは日本にも実在する、無実の罪を裁く「冤罪」、もう一つは、一見命は保証しているように見えながら、その実、その人の人生を奪うに等しい「終身刑」の持つ残虐性です。アンディーは冤罪ですが、彼やレッド、やっと釈放されても社会での生き方が分からず自死を選ぶ老ブルックスも終身刑でした。

【字幕】レッド「終身刑は、陰湿な方法で人を廃人にする刑罰だ」

●〝希望〟という名のスゴい力

結局アンディーは19年もの間、〝塀の中〟で暮らすことになるのですが、その彼を支え、ついに脱獄に成功させ、仮出所したレッドを呼び寄せることができたのは、「必ずここを出て、メキシコの海辺に小さなホテルを開く」という希望でした。彼はそれを実現するため、レッドに調達してもらった1本のロックハンマーで収容所の壁を19年間、こつこつ掘り続けたのです。

「希望は失望に終わることがありません。」（新約聖書　ローマ人への手紙5章5節）

●置かれた環境を最大限に生かすことの大切さ

彼が脱獄しただけでなくホテルを開くことができたのは、入獄中に財務能力を発揮し、ノートン所長の会計係として脱税を助け、それで蓄えた所長の金を、これも巧みな悪知恵で出所後に自分のものにしたからです。さらにはトニーに学問を教えて高卒の資格を取らせ、6年間も州議会に陳情して図書購入補助金を出させるなど、待遇改善にも尽力します。自分が置かれた監獄という絶対的に不利な環境を、最大限に利用して益にしたということです。

●映画の原題「The Shawshank Redemption（ショーシャンクの贖い）」の意味

「贖い」の第一の意味は、「値を払って買い戻す」こと。アンディーたちは、刑に服することで罪の値を払い、自由を得ます。第二は、「代価と引き換えに埋め合わせ、償う」こと。アンディーは、自らの脱税加担という不正を、前述の善行で贖いました。聖書の語るまことの贖いとは、神のみ子イエス・キリストが、十字架で自らの命の代価を払って人類の罪を買い取られたということです。

「あなたがたは、代価を払って買い取られたのです。ですから、自分のからだをもって神の栄光を現しなさい。」（新約聖書　コリント人への手紙一6章20節）

人間の幸福は、人に与えた善意の多さによって決まる

素晴らしきかな、人生！（1954年・130分・モノクロ・アメリカ）

定番クリスマス映画の中でも〝本命〟で、アメリカでは毎年末にTV放映されています。筆者は数年前に仲間数人と「クリスチャン映画を成功させる会」を立ち上げ、優良クリスチャン映画の宣伝・啓発に努めていますが、そこでも当然この映画は、お勧めクリスマス映画5本の中の1本です。

フランク・キャプラ監督、ジェイムズ・ステュアート、ドナ・リード主演。太平洋戦争終結の翌1946年に、RKO映画によって製作されたのですが、日本では諸事情でその8年後の1954年に公開されました。当時のアメリカ映画監督の三巨頭ともいえるフランク・キャプラ、ウィリアム・ワイラー、ジョージ・スティーヴンズが協力して設立したリバティー・ピクチャーズの第1号作品でもあったのですが、これほどの不朽の名作が第19回アカデミー賞（1947年）の5部門（作品、監督、主演男優、編集、録音）にノミネートされた

のに、なんと無冠に終わりました。それというのも、この年には三人の盟友の一人でライバルでもあったウィリアム・ワイラーの映画「我等の生涯の最良の年」があり、作品賞、監督賞、主演男優賞（フレデリック・マーチ）の本命3賞はそちらに凱歌が上がったのは、何とも致し方のないことでした。それでも同年の第4回ゴールデン・グローブ賞では、監督賞を受賞しました。

ノミネートは逃しましたが、音楽を担当したのは、のちに「アラモ」「リオ・ブラボー」「O・K牧場の決闘」「ジャイアンツ」「紅の翼」「真昼の決闘」など数々の映画音楽のヒットを飛ばしたディミトリ・ティオムキンです。

本作はスティーヴン・スピルバーグ監督の大好きな映画の1本であり、彼が師と仰ぐ黒澤明監督は『文藝春秋』誌で、ベスト映画100本の1本に選んでいます。さらに、目に見えない天使が映像で登場する映画であり、イタリア映画の名作「ニュー・シネマ・パラダイス」に登場する映画であり、アメリカン・フィルム・インスティチュート（AFI）が選ぶ「感動の映画ベスト100」の1位であり、2014年のアメリカの大手映画批評サイト「Rotten Tomatoes」が発表した「クリスマス映画ベスト25」も1位であるなど、数々の話題に事欠かない映画です。

ストーリー

１９４５年のクリスマス・イヴ。天国の大天使が二級天使のクラレンス（ヘンリー・トラヴァーズ）を呼び、ニューヨーク州のベッドフォールズという町で絶望に陥っている主人公ジョージ・ベイリー（ジェイムズ・ステュアート）を救うよう命じ、その準備としてジョージのこれまでの人生の歩みをクラレンスに見せるところから、映画は始まる。

子どもの頃からずっとツキに見放されてきたジョージは、それでも希望を捨てず、高校の卒業パーティーで知り合ったメアリー（ドナ・リード）との愛をはぐくんで結婚し、４人の子どもたちを設ける。こうして彼は家族や町の人々に囲まれながら、貧しい人々のために宅地開発を行い、安価な住宅を提供する仕事を進めて人々の信頼を得、幸せな日々を送っていた。

ところがクリスマスの日、彼は人生最大のピンチに追い込まれる。彼の会社で忠実に働いていた叔父のベリーが会社の金８０００ドルをなくしてしまい、彼は金繰りに奔走するが失敗。絶望した彼は、こうなったら保険金で会社を救うしかないと自殺を図ろうとして川に向かうが、彼の目の前で老人が川に飛び込んだため彼が助ける羽目に。この老人が二級天使のクラレンスで、彼の自殺を止めるために自ら飛び込んだのだ。彼の窮状を知った町の人々の寄付で失ったお金は十分に埋め合わされ、彼は妻や家族と共に幸せな大晦日を迎える――。

この映画は、人間の良心のすばらしさを高らかに歌い上げます。彼の生き方と対をなすように、強欲な富豪のヘンリーが登場しますが、彼は人から容赦なく財産を奪って自分の懐を肥やします。ジョージはいつも人々の幸せを願って、人々の益になる低家賃の住宅を提供します。この二人は、人間の生き方の二つのタイプを代表しているのです。いっとき、ヘンリー型の人間は成功を収め楽をします。ジョージ型の人は時としてその善意が報われず、自殺を考えるほどの絶望の淵に立たされますが、最後には彼の恩にあずかった人々の善意のお返しによって、失ったものを取り返して余りある幸福を手にするのです。人の一生は成功によってではなく、人々に与えた善意によって計られる――見終わって、しみじみそう思える佳作です。

〝差別〟とは自分が何者か知って気づくもの

ヘルプ ～心がつなぐストーリー～（2012年・146分・アメリカ）

公民権運動を背景に、若い白人女性スキーターと二人の黒人メイドという実在の女性たちをモデルに描いたヒューマンドラマで、同名の原作は女性作家キャスリン・ストケットによるベストセラー小説です。

本書収録の「それでも夜は明ける」（84ページ）は1840年代の話ですが、こちらは約120年後の1960年代。1861～65年の南北戦争で勝ち取った奴隷解放宣言から1世紀経っても、黒人差別の現実は同じでした。この映画の背景の1964年、公民権法成立以前のミシシッピ州には「人種分離法」という法律があり、人種差別が法で認められていただけでなく、人種差別反対運動自体が法律違反でした。加えて女性差別もあり、アメリカで女性参政権が認められた1920年8月18日から40年経った1960年代でも、女性の社会進出などまだまだでした。しかも、自分より不遇な黒人メイドが身近にいて家事や育児をしていたので、自分たちが差別に遭っていることさえ気づかなかったのです。

タイトルの「ヘルプ」は〝使用人〟のことで、当時アメリカ南部で黒人の使用人はこう呼ばれていました。この題名にはもちろん、黒人の人権のために多くの人が〝助け合う〟という意味も込められています。

監督・脚本は、黒人差別問題に強い関心を持つ俳優のテイト・テイラーです。黒人メイドのミリーを演じたオクタビア・スペンサーは、第84回アカデミー賞と第69回ゴールデン・グローブ賞で助演女優賞を受賞しました。

ストーリー

1960年代前半。〝スキーター〟の愛称で呼ばれるユージニア・フェラン（エマ・ストーン）が大学を卒業し、故郷のミシシッピ州ジャクソンに帰ってくる。しばらく会わない間に、故郷の友たちはほとんどが結婚、出産していたが、彼女たちが家事や育児は〝ヘルプ〟と呼ばれる黒人メイドに全て任せ、気楽な生活を送っているのに彼女は内心驚くと共に、彼女たちの黒人メイドに対する明らかな偏見に嫌悪感を覚える。とりわけ偏見が強いのが、友人の一人ヒリー・ホルブルックで、黒人が使うトイレから病気がうつると信じ込み、良識派の母親ウォルターズ夫人（シシー・スペイシク）の反対を尻目に強引にメイド用を屋外に作らせる。

自らも黒人メイドのコンスタンティンに育てられたスキーターは、大好きだった彼女が退職しシカゴへ去った訳を知りたがったが、母のシャーロットはなぜか口をつぐむ。

作家を目指す彼女は、手始めに代役で引き受けたローカル新聞の家庭欄の家事の相談への回答を、友だちのエリザベス・リーフォルトの黒人メイド、エイビリーン（エイビー）・クラーク（ヴィオラ・デイヴィス）に手伝ってもらうが、彼女には〝希望の星〟だった一人息子が、白人の差別に起因する不幸な事故死という悲しい過去があった。そのような虐げられたメイドたちの実態を知る中で、スキーターは〝ヘルプ〟たちの真実を本に著そうと決心し、密かに取材を始めるが、彼女たちは報復と失職を恐れて一様に固く口を閉ざしてしまう。

だが2つの事件で転機が訪れた。

1つは、ヒリーのメイド、ミニー・ジャクソン（オクタヴィア・スペンサー）が、ヒリーの家のトイレを使って解雇されたこと。もう1つは、ヒリーが雇った新しいメイド、ユール・メイが、二人の息子たちの大学進学学費の貸し出しをヒリーに断られ、やむなくヒリー宅のソファの陰から拾った指輪を質に入れて逮捕されたこと。この処置に怒ったミニーを筆頭にしたメイドたちは、次々に自らの経験を語り始めた――。

この映画では、人種偏見を持たない人物が三人登場します。黒人メイドに育てられ、白人セレブ階級の社交界から浮いていた女性シーリア（ジェシカ・チャスティン。ラストで、料理を特訓し、徹夜で恩人ミニーの誕生日料理を作るシーンは感動的です）、スキーターの母親シャーロット、唯一の悪役ヒリーの母親ウォルターズ夫人です。歴史は変化の発起人を必ず備えるようです。

この映画の真の主人公は二人の黒人女性で、〝陽と陰〟の演技で観衆の心をつかみます。〝陽〟はミニー。彼女は虐げられた者の燃え上がる怒りと、決して忘れないユーモアを全身で見せます。〝陰〟は エイビリーン。14歳からメイド、24歳の長男を交通事故で亡くし、最後は復讐の権化ヒリーに解雇される彼女からは、抑えつけられた黒人の悲しみがにじみ出ます。けれど最後、独り町を立ち去る彼女は、未来への新たな旅立ちの姿そのものでした。

このスペシャルシートは、お金ではゼッタイ買えない

人生の特等席

（2012年・111分・アメリカ）

我が古巣ワーナー作品で、クリント・イーストウッドにとっては私が引退した直後の映画「グラン・トリノ」（2008年）以来、俳優引退宣言を撤回してから4年ぶりの出演作品です。自身でメガホンを取らない作品としては、1993年の「ザ・シークレット・サービス」以来19年ぶりになります。

彼は2021年、91歳で監督主演の「クライ・マッチョ」で〝超〟健在ぶりを示しましたが、ちょうどその10年前、81歳の時の作品です。彼が監督のメガホンを託したのは、1995年の「マディソン郡の橋」以来17年にわたる彼の盟友であり、彼の製作プロダクション「マルパソ」の助監督として彼の薫陶（くんとう）を受けた〝愛弟子〟でもあるロバート・ロレンツ。他にエイミー・アダムズ、ジャスティン・ティンバーレイクらが出演するこの映画は、野球をテーマにして親子（父と娘）の長年の確執と和解を描いた、しみじみと人生を考えさせる

ヒューマンドラマです。

余談ながらイーストウッドは、スタンリー・キューブリックと並んでなぜかワーナーが大好きで（！）、私も若い頃の「ダーティ・ハリー」シリーズに始まって、硫黄島2部作「父親たちの星条旗」「硫黄島からの手紙」に至るまで、在職中多くの作品を楽しませてもらいました。彼の人間を見る目の優しさが年を追って深まってきて、大好きな映画人の一人になりましたが、その思いはこの「人生の特等席」で一段と深まりました。

ストーリー

ガス・ロベル（クリント・イーストウッド）は家庭を顧みず、迫りくる老いと闘いながら、タカのような鋭い観察眼で幾多のベースボール選手を世に出してきたメジャーリーグ、アトランティック・ブレーブスのレジェンド的スカウトマン。

彼の一人娘で、母が亡くなったあとなぜか彼に捨てられ、孤独の少女時代、青春時代を送ってきた一人娘ミッキー（エイミー・アダムズ）は、その厳しい境遇の中で培われた独立心と、持ち前の才能で弁護士になる。父に大きな心の壁を感じながらも、彼の目が失明寸前と知った彼女はその身を案じて、彼の最後の仕事になるかもしれない世紀のスカウトのサポートに、自分もライバルとパートナー席を争う重大な案件を抱えながら、遠路駆け付ける。

二人の前には、かつて彼にスカウトされ野球界で活躍しながら、球団に酷使されて肩を壊し引退、今は実況アナとして再起するべくローカル試合を見て回っているジョニー（ジャスティン・ティンバーレイク）も現れ、映画後半の数十分では、現実至上主義者の幹部たちの策略による父と娘それぞれの敗北と、最後のどんでん返しによる勝利のカタルシス、親子の和解、そして愛し合うミッキーとジョニーのハッピーエンディングなどの結末に、心地良い余韻も味わえる――。

人間関係の中でも、〝親子〟というのは、父と息子、この映画のような父と娘、母と息子、母と娘、どれを取っても格好の映画やドラマの題材になり得る要素を持っています。何しろ子どもが生まれ落ちて、いいえ母親の胎内にいる時から成人するまでの長いつながりですから、その愛憎度の深さも他の人間関係の比ではありません。この映画でも、父が娘を捨てたかに見えたガスの行動の背後にあった秘密が終盤、彼の重い口から語られて、長い間二人の重荷になっていた父と娘の和解につながります。

観終わると、親子の確執、父と娘の愛の在り方の違いなど、最も親しい人の間にもある人間関係の機微と、共に生きていかなければならない間柄にある二人の人間が真に理解し合うために大切なものは何なのかを、改めて考えさせてくれます。

「人生の特等席」――このタイトルもいいです。特等席は本来、芝居や音楽、スポーツなどの催し物を観る際、優位度によって設けられた料金差を伴う席ですが、この区別は人の一生をドラマに見立てた人生にもあるようです。人間、長い人生で二等席、三等席に甘んじなければならないこともありますが、本当の〝特等席〟とは、決してこの世の地位とか、栄誉とか、財によって得られるものではないことを、しみじみ思わされる映画です。

ちなみに原題の「Trouble With The Curve（カーブのトラブル）」は映画の最後、ガスの世紀のスカウト拒否の決め手になった大物新人ブーの、カーブ球に弱い唯一の弱点を突いたものですが、まっすぐにいかない人生のさまざまなカーブ（湾曲）のトラブルにどう向き合っていくべきかも、映画は静かに問うているようです。

この映画、"ロレンツォ"を抱えたご両親に捧げます

ロレンツォのオイル／命の詩(うた)

（1993年・136分・アメリカ）

監督ジョージ・ミラー、主演ニック・ノールティー、スーザン・サランドンで、難病に苦しむ一人息子ロレンツォを助けるため、解決策を探し求めて奮闘する銀行家オドーネ夫妻の実話に基づいた感動のヒューマンドラマです。監督は過去に、「マッドマックス」という過激なアクションや、「ベイブ都会へ行く」「ハッピー フィート」などの動物を主人公にした心温まる映画も撮っています。劇場公開されると、実話を元にした物語は大きな反響を呼び、全米91％の批評家からの支持を獲得。第65回アカデミー賞では主演女優賞（スーザン・サランドン）、脚本賞にノミネートされました。

ストーリー

銀行家オドーネ夫妻（夫オーギュストと妻ミケーラ）は最近、ワシントンに転勤してきたばかり。夫妻には小学校に通っているロレンツォという息子がいる。健康に何の問題もなくすくすくと育ったロレンツォが、学校での問題行動や転倒などの症状を示すようになったのは1983年の秋、5歳の時のことだった。

夫妻は、ロレンツォをワシントン小児病院に連れて行き、診断の結果、ロレンツォが副腎白質ジストロフィー（ALD）という死の病に冒されていることを知る。治療したほとんどの医師がさじを投げ、世界的権威の医師でも治せない状況だった。夫妻は医学的知識が皆無であるにもかかわらず、自分たちで研究して息子の難病を治そうと決意し、そこから2年4カ月、この未知の病との壮絶な戦いが始まる。

夫妻は多くの学者、医師の協力を得て、早期に投与を開始すればかなりの割合で症状の進行を食い止められるという、脂肪酸生合成を阻むオイルの精製に成功。息子の名にちなんで「ロレンツォのオイル」と名付ける――。

映画の最後に、ロレンツォのオイルで命が助かった実際の子どもたちの笑顔が流れますが、この夫妻の想像を超えた努力が報われたことを如実に物語っています。

この映画で教えられたのは、次の三つです。

●神は、ある人をご自身の特別の使命（ミッション）のために選ばれる。

【字幕】母から息子「あなたは病気に選ばれた特別な子」

この息子も、そしてその両親であるこの夫妻も彼を癒やし、この病に苦しむ多くの人に光を与えるため、特別に神に選ばれた三人でした。神は、ご自身のみわざのために選ばれた者はあらゆる困難を乗り越えることを見込んで、試練を与えられるのです。

●神は、必要な助け人をも備えられる。

ミケーレの妹ディアドラ、アフリカの若者オムーリ、農家の主婦ウェンディー・ギンブル、サダビー博士、ガス・ニコラウス教授たちの助けと犠牲がなければ、このプロジェクトは決して成功しませんでした。私たちにも時として大きな人生の課題が与えられますが、決して一人では解決できません。助けは感謝して受けることです。一人でやるのは人間の傲慢です。

●最後まで諦めないことが奇跡を生む。

その力は〝信仰〟からきます。

「信じるなら神の栄光を見る。」（新約聖書　ヨハネの福音書11章40節要約）

教えられたもう一つは、〝愛〟の本質です。愛は本当に相手の幸せを願い、相手のしてほしいことを叶えようとします。

【字幕】母から息子「もし、我慢できないのなら、イエス様のもとに飛んで行ってもいいのよ。パパとママは大丈夫」

この母には、息子の病気の治癒が究極の目的ではありませんでした。息子を一人の人格として愛し、ひとことも話せず沈黙の中にいる彼が今、どんな心の状態にあるのか、何を嫌がり本当は何をしたいのかを知りたかったのです。その執念が、息子の瞬きの開閉による意思疎通の道を見つけ出しました。

【字幕】母から息子「あなたを決して沈黙の世界に置き去りにはしない」

最後まで諦めない信仰が神の奇跡を生みます。でもそれは、その信仰が愛によって働く時に可能なのだということを忘れてはなりません。「キリスト・イエスにあって大事なのは、…愛によって働く信仰なのです。」（新約聖書　ガラテヤ人への手紙5章6節）

場でした。劇場公開までの舞台裏では、この翻訳者訳から、１字にこだわる私の、６回にわたる改訳が始まりました。太字が改訳個所です。

①「３人の**博士**が金塊を盗む」

→聖書の表記（マタイの福音書：2章1～12節）に統一しました。

②３人の**賢者**が金塊を盗む

→「博士」は「ドクター」とも取られるので、占星術の学者を示す語に。

③**３人の賢者**（スリー・キングス）が金塊を盗む

→映画題名の由来を示すルビを振りました。

④３人の賢者（スリー・キングス）が金塊を盗む（「盗む」に傍点）

→聖書の賢者が「ささげた」ことを逆にもじっていることを示唆する傍点を振りました（傍点は、裏の意味があることを示します）。

⑤３人の賢者（スリー・キングス）が**黄金**を盗む（「盗む」に傍点）

→聖書記事（上記2章10節)と分かるように、「gold」の訳を「金」から聖書表記の「黄金」に合わせました。

⑥【字幕】

「**三人**の賢者（スリー・キングス）が黄金を盗む」（「盗む」に傍点）

→実は上記聖書箇所には、賢者たちの人数は出ていないのです。この「三人」は、ヴァン・ダイクというクリスチャン作家の書いた小説「アルタバン物語～もう一人の博士」の中に出てきます。この人数が、キリスト教界ではよく知られた小説の固有名詞であることを示す漢数字に変更。こうして訳は完成し、映画は公開されたのでした。

◆聖書の名前と分からせる

James「My dad named me after James in Bible.」

【直訳】「父は聖書の人物にちなんで僕をジェイムズと名付けた」

→彼の名は聖書では「ヤコブ」です。聖書人物の名前は聖書表記を用いますが、この例のように、その両方を出さなければならない時はルビ処理をするのです。

【字幕】「ジェイムズ（ヤコブ）の名は、親父が聖書から付けたんだ」

知ったらハマる字幕翻訳の世界❻

聖書の出どころに、とことんこだわる

「スリー・キングス」という、ジョージ・クルーニー主演の湾岸戦争を舞台にした映画がありました。隊長の彼のもと、敵イラクから捕獲した金塊をネコババしようとテントの中で作戦会議を行うシーンがあります。そこで部下のヴィグが、突然クリスマス聖歌「我らは来りぬ」をもじって歌い始めます。

賛美歌の歌詞はこうです。

「♪We three kings of orient are」

【直訳】「我ら東方の三人の博士たちは……」

映画の中では、次のように歌われました。

「♪We three kings be stealing the gold.」

【直訳】「我ら３人の王たちは黄金を盗もうとしている」

【初訳】「３人の王が金塊を盗む」

この訳は文法的には何の問題もありませんが、これではこの歌がクリスマス聖歌のもじりであることも、その内容も、どんな意味を持っているのかについても観客には全く分かりません。

まず映画のタイトルである「THREE KINGS」とは、中世のキリスト教伝説の「THREE KINGS OF COLOGNE（ケルンの三王）」のことで、マタイの福音書２章にある降誕したキリストをはるばる拝みに来た「東方の三博士」(Magi／バビロニア地方、ペルシャの占星術学者)を指しています。

三人の遺骨がケルンの大聖堂にあると言い伝えられたことからそう呼ばれたものですが、騎士道華やかだった中世なので、この博士たちを「王」と呼んだのです。

そのあたりも含めて、この歌詞の意味をどう正しく伝えるか。そこで聖書オタクの私の登

あとがき

読者の皆様には、ここまでお付き合いいただき、有り難うございました。

この本の企画を出版社から持ち込まれた時には、「なるほど、今までにない企画だな」と思いました。取り上げるタイトルも、50本から100本の間ということでしたので、中を取って70本ぐらいでと思って執筆にかかったのですが、妻が「70本は多過ぎ。あんまりページが多いと私なら読まない。それに活字は大きいほうがいい。ぱっと見でぎっしりだと、見る前から疲れちゃう」と言うものですから、出版社さんと相談して43本にし、活字も普通の本よりやや大きくしてもらいました。

しかしながら、「60歳を過ぎたら絶対観てほしい」という本書の趣旨からすれば、43本というのはあまりに少ない！　皆さんに観てほしい〝映画氷山〟のほんの一角にすぎません。

考えれば、ここ十数年で映画を観る環境は格段に良くなりました。アマゾンプライムやネットフリックスなどの動画配信サービスで、名作映画のほとんどは無料か安い料金で観られますし、時にはシネコン映画館に足を運び、お得なシニア料金で、昔のように大スクリーンで映画を楽しむ喜びも、ぜひ取り戻されてはいかがでしょう。

ワーナー現役時代の私は、多いときには試写室に缶詰めで1日4本も観たものですが、退職後は一時映画館から遠ざかりました。でも、おいおいと右記のような方法を知って、80歳を超えた今も妻と大いに映画を楽しんでいます。そして観終わったあとは、二人で熱い感動を語り合います。

私のように夫婦で、あるいは家族で映画の感想を語り合える方々は、それほど多くはないかもしれません。でも、一人でご覧になっていても、良い映画に出会えた時の感動は変わりません。独り暮らしをなさっている方には、とりわけ映画が自分と社会をつなぐ、なくてはならない〝窓〟になったりします。映画の中に自分も入り込み、2時間くらいの〝架空現実〟を体験し、観終わったあと、「生きてるって、やっぱりすばらしい。よし、頑張ろう」と勇気をもらえるのも、映画ならではです。

60歳を過ぎたら進んで良い映画を観る意義――。それは、若い頃にはなかなか分からなかった悲喜こもごもの人生の奥深さを知った今だからこそ、スクリーンに描かれたさまざまな人生模様への〝共感度〟が、格段に高まっているからだと言えるのではないでしょうか。それこそが、明日も力いっぱい生きていく〝内からの力〟を生み出すと思うのです。
正直に言いますが、取り上げたタイトルは、小著の前2作に出てくるものも結構多いです。どこに違いを持たせたかと言えば、この本の出版趣旨に沿って、より人生論的視点をはっきりさせ、60代以降の人生の成熟期を、映画を通して少しでも豊かなものにしていただければ、という願いが色濃く出ているところでしょう。それがあまり出ていなければ、ひとえに筆者の力量不足で、素直にお詫びしなければなりませんが、少しでもその願いを感じ取り、それなりに楽しんでいただけたら、私の望外の喜びです。

2023年3月

小川政弘

【著者略歴】

小川 政弘（おがわ・まさひろ）

1941年生まれ。元ワーナー・ブラザース映画製作室長。46年半のワーナー在職中、31年間にわたり2,000本を超える字幕・吹替版製作に従事。「ハリー・ポッター」「マトリックス」「リーサル・ウェポン」シリーズ、「JFK」「ラスト・サムライ」「硫黄島からの手紙」等を監修した他、「イングリッシュ・ペイシェント」「偉大な生涯の物語」「長崎の郵便配達」など、約50本の作品を字幕翻訳。在職中から、字幕翻訳者養成学校で講師を務める。著書に『字幕に愛を込めて（私の映画人生半世紀）』（イーグレープ）、『字幕翻訳虎の巻 聖書を知ると英語も映画も10倍楽しい』（いのちのことば社）がある。1962年、キリスト教ラジオ放送で入信・受洗、聖契神学校卒。

60歳を過ぎたら絶対観たい映画43

初版1刷発行●2023年4月15日

著　者

小川政弘

発行者

薗部良徳

発行所

㈱産学社

〒101-0051 東京都千代田区神田神保町3-10 宝栄ビル　Tel. 03-6272-9313　Fax. 03-3515-3660

http://sangakusha.jp

印刷所

㈱ティーケー出版印刷

©Masahiro Ogawa 2023, Printed in Japan

ISBN978-4-7825-3583-7　C0074

乱丁、落丁本はお手数ですが当社営業部宛にお送りください。
送料当社負担にてお取り替えいたします。
本書の内容の一部または全部を無断で複写、掲載、転載することを禁じます。